F. X. デュルウェル

キリスト・人間と死

泰皐カルメル会修道院　訳
小高　　毅　　監修

サンパウロ

François-Xavier DURRWELL

Le Christ, l'homme et la mort

Troisième édition

目次

序文

死について間違いなく語ることのできる人はいません。死の経験がないのに、だれにそのようなことができるでしょうか。寛大に、献身的に、人生の終局を迎えた病人に付き添ってきた人々が、その枕元で得た経験を本や雑誌を通して語ってくれることはあります。しかし彼らとて、死とは何かということを語っているわけではありません。彼らは死に臨む人に付き添っていましたが、最後の瞬間までは行きませんでした。突如としてはかり知れない深淵が、彼らと死者の間に穿《うが》たれました。地上の人生と死を分かち、対峙させる深淵が。

にもかかわらず、私がこれから語ろうとするのは、人類未踏の地とも言うべき、この究極の瞬間についてなのです。

キリスト者も自分では、ほかの人たち以上に何かを知っているわけではありません。けれども彼はこの謎を解く言葉を受け取っています。彼は「聖霊によって教えられた真理において」[1]死を知っています。そして知っていることを謙虚に話します。なぜならすべての知識は他者から来ていますから。けれども信仰の謙虚さは全く大胆です。ほかの人たちが知りえないと判断することを力強く宣言するだけでなく、その苛酷な外観に直面しながら、死のパラドックスの耐え難い暴力の前にもたじろぐことはありません。信仰の謙虚さは「イエス・キリストにおいて死を観、イエス・キリストなしに死を観ない。イエス・キリストなしには、死は恐るべき、忌み嫌うべきもので、人間本性にとっての脅威である。イエス・キリストのうちにおいて死は全く別のもの、愛すべき、聖なるもの、そして信者の喜びである。イエス・キリストのうちにおいて、すべては甘美である。死さえも」。[2]

とはいえ、いくら熱心な信仰の持ち主であっても、キリスト者は、死にゆく人にとっても後に残される人々にとっても、死が辛いものであるということを否定するところまではいきません。イエス自身も友の死を前にして心を揺り動かされました。「イエスは彼女が泣き、一緒に来たユダヤ人たちも泣いているのを見て、心に憤りを覚え、興奮して、言われた。『どこに葬ったのか。』彼らは、『主よ、来て、ご覧ください』と言った。イエスは涙を流された」（ヨハ11・33〜35）。キリスト者は喪の悲しみのうちにある人々が、「希望を持たないほかの人々のように嘆き悲しまないために」（一テサ4・13）、慎み深く喜びに招きます。けれども、泣いてはならないというつもりはありません。彼自身、死を前にして恐れを感じても、それを弱さとして自分を責めたりはしません。イエスも、「恐れと不安」（マコ14・33）を感じられましたから。信仰をもって記されたこの小著は、死が「人間本性にとっての脅威」であるということを知らないわけではありません。

ここ数十年の間、教会の最大の関心事はこの世の現実をキリスト教化することにあり、彼岸についての証しは二の次であったので、死の意味を説くこともそれほど重視されてい

1　Bl.パスカル　「手紙」（ペリエ夫妻宛　1651.10.17）
2　同上

ませんでした。彼岸とは単に未来のことではなく、死はすでに人生に内在する次元であって、この世の諸現実はそのうちに死の真の意味を統合してはじめて十全な価値を得るものだ、ということが忘れられていました。

キリスト者は死について自分が知っていることを、ほかの人々に知らせなければなりません。なぜならそれは良い知らせ、つまり福音だからです。この愛の務めは、いつにもまして今日、急を要するものとなっています。なぜなら現代人の多くは、復活されたキリストのメッセージを知らないために、死に対する恐怖を追い払おうとして、聖パウロの言う、いたずらに「むなしい哲学」や、オカルト学のいかがわしい体験にさえ走っているからです。

この小さな本はだれよりもまずキリスト者に宛てて書かれています。ここで死は、キリスト者にとっての究極の恵み、洗礼によって与えられ、日々、エウカリスティア（聖体祭儀）のたびごとに祝われた、いのちの完成として示されています。にもかかわらず、最初に選んだ『キリスト者と死』というタイトルは破棄されました。なぜならキリスト・イエスにおける救いは、すべての善意の人々、この世で福音を耳にすることができなかった人々にも及んでいるからです。最終的に選んだタイトル『キリスト・人間と死』は、イエスはすべての人のために死なれた、それは各人の死においてその救い主となるためだ、ということを言おうとしています。

キリストの恵みは、この本の中に書くことができたことよりもずっと豊かです。それゆえ最後は中断符で終わるしかありませんでした。キリストの死という汲み尽くせぬ神秘について語り尽くすことは決してできません。[3]

3　私はすでに一九七〇年に出版した『過越の神秘、使徒職の源泉』という本の最終章で死について語ったことがある。当時、この最終章だけを小冊子の形で出版したいという要望があったが、出版社がその許可を与えることができるとは思っていなかった。その本が絶版となった今、私はその章で述べた考えの大部分を再び取り上げ、より豊かな省察としてまとめた。

第一章　先決問題

死を語ることができるか？

人は生きている間から、ある日、それで人生を終えることになる死を自分のうちに宿しています。人は死に定められた存在です。自分のうちに担っている死というこの不思議な存在の意味を知っている人は、自分がどこから来て、自分がだれで、自分はどこに行くのかが分かります。死の意味を知らない人は、それが分かりません。死は神秘ですが、また同時に解明の鍵でもあります。意味と無意味の鍵、回し方によって、開けたり閉じたりする鍵です。

キリスト者は「死の鍵」（黙１・18）を持っているお方が、正しい方向に鍵を回してくださったことを信じています。イエスが死んだ時、死に何かが起きました。死は突然その様相を変えました。「お前は必ず死ぬ！」（創２・17）というかつての呪いが、「あなたがたに良い知らせを告げる……神はイエスを復活させられた」（使13・32）、「死は勝利にのみ込まれた」（一コリ15・54）という良い知らせに変わりました。

キリスト者は信仰に透徹した目をもって、見えるものの向こうにあるものを見ます。彼は死がその外観とは違ったものであることを知っており、死ではなく、復活こそが人間の最後の言葉であることを確信しています。それだからこそ、彼には死について語る義務があるのです。「死の恐怖のために一生涯、奴隷の状態にあった者たちが解放され」（ヘブ2・15参照）、自分たちを死すべきものとしてお造りになった神が不条理の主ではなく、子を産む父であることを認めるようになるために。

けれども、キリスト者はまだ逡巡します。はたして自分は死について語ることができるのだろうか、と。死は最も実存的な、最も人格的な人間の現実です。そのように厳密に人格的な現実について、事情をわきまえて話すことなどだれにできましょう。死んだ経験がないのですから。そして死んでしまえば、もうそれについて語ることはできないのですから。死は虚無への転落であるのか、彼岸への飛翔であるのか、沈黙という法が、柩の覆いのように、死の上を覆います。

ある人は、「けれども多くの死者を看取ってきた私なら死について話すことができる」と言うかもしれません。確かに彼は死にゆく人々を看取ってきたかもしれません。が、彼らの死そのものに立ち会ったわけではないのです。人は死の前後の出来事については証言できます。けれども死にゆく人を見た後は、死体を見るだけです。死そのものについては証言できません。この世に生きているかぎり、そこまでついて行くことはできません。「ペトロ、私の行く所に、あなたは今ついてくることができないが、後でついて来ることになる」（ヨハ13・36）。死にゆく人の手を取って――それは大きな愛である――最後の瞬間まで、地と永遠の接点まで、さらにそれを越えてまでも一緒に行きたいと願います。が、突然、死にゆく人は逃れ去り、遠い岸辺、だれの手も届かないところに行ってしまいます。残してきた人々との間に、生と死を隔てる距離を置きながら。そこまでついて行くためには、命を捨てて彼と一緒に死ななければならないし、しかもその上！　自分の死を死ななければならないのです。だからある意味で、人はただ一人で死ぬと言えます。

それでもキリスト者は死について語ることができます。彼は何も知らないどころか、よく知っているとさえ言えます。まず何よりも、イエスの死が何であるかを知っています。確かに、カルワリオで、イエスの死に立ち会った者はだれもいません。人々は彼が息を引き取るのを見、血の気の失せた死体を眺めましたが、死そのものは人々の眼差しを逃れました。御父だけがイエスの死の証人でした。イエスに栄光を与えることによって、御父はその死が何であるかを啓示されました。つまりイエスの死は、神の子としてのまことの命に入ることです。イエスはそれを予告しておられました。「私が命を与えるのはそれを再び受けるためである」（ヨハ10・17）。そして「私は父のもとに行く」（14・28）。イエスはこの他にもいろいろな言葉でご自分の死の意味を明らかにされました。

同時にすべての人の死に与えられている意味が啓示されました。[4] なぜならすべての人は、あらゆる被造物の長子（コロ1・15）である御子の似姿として創造されたのですから。「苦しみと死の謎は、キリストにより、キリストにおいて解明されるが、キリストの福音

4　ただし、神が望まれた意味を人が歪めないという条件で。

がなければ、われわれを押しつぶしてしまう。……生と死は聖化され、新しい意味をもつものとなる。」[5] キリストにおいて生と死は矛盾しません。「私を信じる者は、死んでも生きる」（ヨハ11・25）。

確かに死について語るためには、死を経験しなければなりません。しかしまさしく**キリスト者は今から、自分がそれで死ぬことになる死を生きることができます**。すべての人と同じく、キリスト者も「死に定められた存在」ですが、彼は死を一つの恵みとして自分のうちに宿しています。人がキリスト者となるのは、キリストとの死の交わりを通してです。「あなたがたは知らないのですか。キリストのうちに洗礼を受けた私たちは皆、またその死のうちに洗礼を受けたことを」（ロマ6・3）。キリストとの死の交わりを通してキリスト者となった私たちは、キリストと「共に死ぬ」ことを成し遂げるとき、完全にキリスト者となるでしょう。この「キリストと共なる死」は今すでに私たちのうちに宿っています。「私は日々死んでいる」（一コリ15・31）。「イエスの死が私たちのうちに働いている」（二コリ4・12）。その静かな死は私たちのうちに宿り、私たちの生に意味を与えています。

キリスト者の中には優れて、死の顔の特徴をよく見抜いた人たちがいます。聖人たちの多くは自分を待っている死をあらかじめ強烈に生きました。聖パウロは死と親しみ、それを望ましいものと感じていました。「私は世を去って、キリストと共にいたいと熱望している」（フィリ1・23）。アシジの聖フランシスコにとっては、死は姉妹であって、そのために神に感謝すべきものなのです。「わが主よ、あなたは賛えられますように、生きている人間がだれもそれから逃れることのできないわれらの姉妹、肉体の死のゆえに。」リジューの聖テレーズにとって死はその外見と反対のものなのです。「私は死ぬのではありません。命に入るのです。」[6]

このようにキリスト者には数多くの確実なデータが与えられていますので、はっきりと死について語ることができます。けれども死をめぐる苛酷な現実を忘れて、いたずらに死を美化してはなりません。死にゆくイエスがまず、涙と血を流し、暗闇の中で、悲痛な叫

5　『現代世界憲章』22
6　『書簡集』第二巻（Paris,1973）p.1015

びを上げたことを忘れてはなりません。死の顔は、ふつう蒼白に見え、美しいと呼ばれるような死はほとんどありません。けれども、苛酷な現実を忘れてはならないとしても、キリスト者は、苦しみを越えて、最後の瞬間に、死は最高の恵みになりうることを知っています。私たちの主、イエス・キリストによって。

人は無意識のうちに死んで行くのか？

私がこの世に入ってきた時、私はそれを知りもせず、望みもしませんでした。この世を出て行くときは違うのでしょうか？　それともやはり無意識に受動的に死を受け取るのでしょうか？　日常用語、あるいはキリスト教用語でさえ、そのような感じを抱かせます。殉教者ステファノについて次のように記されています。「彼は『主よ、この罪を彼らに負わせないでください！』と大声で叫んだ。こう言って、眠りについた」（使7・60）。パウロは死者について語るとき、彼らを「眠りについた人々」と呼びます（一テサ4・15）。彼らは

「墓地」すなわち、「眠りの場」に埋葬されます。また、キリストの母の死は「マリアの就眠」と呼ばれます。

人がこの世で用いてきた認識能力は肉体の生命とともに消え失せます。死にゆく人は、少しずつ完全な闇の中に沈んで行くように見えます。けれども人は秘密裏に死に、見かけはだませます。死は眠りであるどころか、かつてないほどの目覚めかもしれないのです。

十字架は奴隷の刑罰で、手足を釘付けにされ、他者の意のままに死に服するものですが、イエスはこの上ない自由さの中で死なれました。「奴隷の身分を引き受け」られましたが、死の意味を逆転させ、まさにこの死を通して主となられました（フィリ2・6〜11）。聖霊の働きのもとに信仰は、イエスの死が、刑罰として受けられたものとはいえ、イエスの行為、完全にはっきりした意識の中で、この上もなく自由になされた行為であったと宣言します。「だれも私の命を奪うことはできない。わたしは自分自身で命を与える」（ヨハ10・18）。イエスの死には、徹底的な従順（フィリ2・8）と、これ以上ない大きな愛（ヨハ15・13）が表現されています。イエスは「永遠の〝霊〟においてご自分を捧げられた」（ヘブ9・14）のであり、

「主の霊のおられるところには自由がある」（二コリ３・17）。自由は意識の明断さを前提としています。ご自分を御父に渡すことによって、イエスは敵の横暴から、敵が陥れようとしていた破滅から逃れました。

弟子は師と運命を共にします。「私たちもイエスのようなのです」（一ヨハ４・17）。私たちの死もイエスの死のようになります。イエスの死は一人の人間の死であって、すべての人の死が何でありうるかを啓示しています。キリスト者は、意識的で、自由な行為としての死を、イエスと「共に死ぬ」[7]のです。

私たちは死ぬとき、眠りに入るのではなく、御子との交わりに（一コリ１・９）、聖霊の愛が支配する神の国に入るように呼ばれるのです。この世に生きているかぎり、キリスト者は決して神の国に完全にふさわしく生きることはできません。その愛は決して充満に達することはありません。一瞬一瞬、いのちの断片を生きながら、そのとき、そのときにできる範囲でしか愛を与えることができません。ところが神の国は愛の充満です。人は友愛の中に、とりわけ友愛の充満の中に、意識もせず、望みもせずに入ることができるでしょうか。どうしても受容の行為、愛の完全さにふさわしい受容の行為がなされなければなりません。死においてそれがなされるのです。そうしなければ、人は自分が呼ばれている天国といつまでも調和しないでしょう。

では、例えば、キリストを信じていたが、死ぬ前に大罪を犯してしまった人はどうなるのでしょうか。信仰によってその人は神の国に結ばれています——信じて洗礼を受ける人は救われる（マル16・16）——が、罪によってそこに入ることを禁じられています。最終の恵みと、その恵みを受け入れる意識的な行為がなければ、その人はいつまでも天と地の間で宙づりになったままでしょう。

この世への誕生と天国への誕生は同じ法則に従うのではありません。前者は何よりも肉体的な生存にかかわることで、後者は人格の次元、つまり、愛と自由にかかわることです。

7　Bl.パスカル、前掲書　p.497s「キリストの身に起こったすべてのことは、キリスト者の魂と体にも起こるはずである。これはキリスト教の偉大な原理の一つである。」

地上での生を望まずして受けた私たちは、同じように天国の生を受けるのではありません。両親の行為を通して「私たちの同意なしに私たちを造られた神」は、「私たちの同意なしには私たちを救われません。」（聖アウグスティヌス）

「理屈を言って何になるのか。事実は正反対のことを言っている。あれほど多くの人が無意識のうちに死んでいくのを見ているというのに」と反論する人がいるかもしれません。しかしここで話しているのは何についてなのでしょうか。死に先立つ出来事のことではなく、生死の移行の瞬間について、取り返しのつかない運命が成就する瞬間、この世のだれも目にすることのなかった瞬間のことなのです。

心理学者は、意識には幾つかの層があり、それはすべての人に共通であると言います。神秘家は、通常の認識能力では把握できない存在の深みにおける神体験について語ります。そしてすべてのキリスト者は、理性だけによっては与えられない認識を与えられています。すなわち信仰による認識です。信じるとは、教会が教える諸真理を受け入れることだけではありません。信仰は一つの眼差し、彼岸の認識の端緒、主の日の曙光です。天国ではもはや頭脳の働きに頼らないで認識することになるでしょう。そうであるなら、人が死ぬ瞬間、永遠の光に向かって戸が開かれるその瞬間に、すでにそのような認識ができないとどうして言えましょうか。

死にゆく人が地上の現実を離れるとき、それらを認識するための諸能力は不要となって停止し、「死の眠り」が押し寄せます。しかし彼は、自分が降りて行く深みで、信仰の眼差しによってすでに眺めていた別の日に生まれ出るのです。そのときほど「夜は更け、日は近づいた」（ロマ13・12）、「私たちは、夜の者でも暗闇の者でもなく、光の子らです」（一テサ5・5）という言葉が真価を発揮するときはありません。そのとき、次のような声が聞こえます。

眠りについている者、起きよ。
死者の中から立ち上がれ。
そうすれば、キリストはあなたを照らされる（エフェ5・14）。

地上の生が永遠の光の中で炸裂する瞬間が近づいています。それは最も警戒を要する時です（ルカ12・37）。「真夜中に『花婿だ！　迎えに出よ』と叫ぶ声がした。そこで、おとめたちは皆目を覚ました」（マタ25・6）。

第二章　キリストとの出会い

「人の子は来る」（ルカ12・40）

死すべきものとはいえ、人間は死に直面しなければならないわけではありません。なぜなら死は直面しなければならないようなものとしては存在しないのですから。存在するのは、いつか死ぬであろう「死に定められた人間」だけです。人間において死は人格上の出来事で、人は自分自身の完成として、人格的な出会いのうちに死を生きます。「用意していなさい」とイエスが言われるのは、死が突然やって来るからではなく、「あなたがたの知らない時に、人の子が来る」（ルカ12・40）からです。

イエスは来られます。彼は「来るべき方」（マタ11・2）、本性として、人間に出会うために来られるお方です。イエスご自身、ご自分のことを、御父によって聖別され、遣わされた者であると定義されました（ヨハ10・36）。彼の到来は、この地上では時間と空間に限定され、比較的小さな影響しか及ぼしませんでしたが、その死と復活において全世界的なものとなりました（エフェ４・10参照）。かつてもすでに聖別され、遣わされた者でありましたが、以後は御父の栄光の中で完全に聖別され（ヨハ17・19）、全世界的に遣わされた者となられたのです。「私は去って行くが、また、あなたがたのところへ戻って来る」（ヨハ14・28）。「今からあなたがたは人の子が来るのを見るであろう」（マタ26・64）。「神はイエスを復活させ、あなたがたのもとに遣わしてくださる」（使３・26）。

死と復活の過越は、パルージア、すなわち、この世における到来と現存の神秘です。「主はすぐ近くにおられます」（フィリ４・５）。イエスは人々が「マラナ・タ！　主よ、来てください！」（一コリ16・22）と呼び求めているお方です。自ら人間の救いとなられたイエスは、人々をご自分のうちに実現した死と復活の救いの中に引き取るために、人々のもとに来られます。

イエスはキリスト者の人生のあらゆる段階に出会いに来てくださいます。まず信仰の賜物と洗礼を通して来られます。「キリスト・イエスに結ばれるために洗礼を受けた私たち」

（ロマ６・３）は、キリストとの死と復活の交わりに入りました。[8]イエスは特にエウカリスティアを通して来られます。エウカリスティアはパルージアの偉大な秘跡で、死と復活という最終的な出会いにおける一致を予告し、先取りします。イエスはまた、日々キリスト者のもとに来られ、彼らが「肉から霊へ」の日常的な移行を生きることができるように助けてくださるのです。

さて決定的な移行の時、それが死です！　その瞬間、永遠との境目で、キリスト者はただ一人で放っておかれるのでしょうか？　浅瀬の真ん中で見捨てられるのでしょうか？　キリストはもはや来るべき方、手を差し伸べて移行を助けてくださる方ではないのでしょうか？

ヨハネ福音書が最後の数ページで語っている幾つかの出来事には、シンボルとして永続的な価値があります。[9]「奇跡の漁」の話もそうです（ヨハ21・１〜14）。復活した方は、終わりの日の主として、永遠の岸辺に立って、弟子たちと彼らが獲《と》った魚を自分のところへ呼び寄せ、パンと魚の食事を供されます。その食物は主ご自身です。[10]教会は、常にこの呼びかけを聞きながら、この出会いの中で生きています。この話が真の実現を見るその日まで。

全教会に特有なすべてのことは、各信者によって生きられます。なぜなら「全教会は各信者のうちに存在する」[11]から。終わりの日の主との出会いは、この地上の人生を通じて常に差し出され、各々の人生の終わりに、真の実現を見ます。ヨハネが語っているパンと魚の食事は、聖体祭儀の特徴をよく示しています。聖体祭儀は「主が来られるときまで」（一コリ11・26）挙行され、永遠の岸辺のキリストとの最終的な出会いの前表です。

8　ロマ6・3〜10、コロ2・12

9　以下の事実は象徴的な意味を包含している。十字架によって地上から上げられたイエス。イエスの母と弟子たち。発せられた霊（聖霊）、開かれたわき腹から流れ出る血と水、刺し貫かれ、観想されるイエス。イエスの息吹によって生かされる弟子たち、等。

10　パンと魚のこの食事は、同じ湖畔で行われたパンと魚の増加の奇跡を想起させる。ヨハネ六章によればそれは、永遠のパン、エウカリスティアのシンボルである。

11　聖ペトロ・ダミアン　Opusc.XI. Dominus vobiscum, 5et6. PL 145,235.

死を前にして、だれかに呼ばれているように感じたキリスト者は、一人ならずいます。真夜中にやって来る強盗のたとえ話を自分流に解釈して、リジューの聖テレーズは問いかけます。「怖い？　どうしてこれほど愛しているお方を怖がらなければならないの？」[12]彼女によれば、死ぬとは、良い神様に捕らえられることなのです。[13]彼女は自分が「強盗」に捕らえられるであろうことを知っていました。ところでキリストはどんな姿で現れるのでしょうか。出会いはどのようになされるのでしょうか。だれもそれを言うことはできません。しかしキリストは救い主ですから、人の救いが成就すべき時、必ずそこにおられるはずです。

「私は道である」（ヨハ14・6）

なぜならイエスは「神と人との唯一の仲介者」（一テモ２・５）、私たちのためにこの世に生まれてくださった神の唯一の御子ですから。御父がお産みになった方との交わりに入らなければ、だれも神の子として永遠の命に入ることはできません。イエスはそのことを次のように言われました。「私は道、真理、命である」（ヨハ14・6）、また、「私は羊の門である」（ヨハ10・7）と。地上の人生から天上での誕生までの、此岸から彼岸までの隔たりは大きく、渡してくださる方、天と地をつなぐ人である神の御子がいなければ、だれもそれを飛び越えることはできません。

したがって、そこ、飛翔の瞬間に、足を踏み出すべき道、入るべき門がなければなりません。私たちの過越、私たちの移行、キリストがいなければならないのです。羊が良い羊飼いの肩に乗せられて運ばれるように、信者はイエスを通して眠りにつき、良い死の仲介者を通して死ぬのです。「イエスが死んで復活されたと信じるなら、神は同じようにイエ

12　『最後の対話』（Paris,1971）p.241

13　同上。「私を迎えにくるのは死ではなく、神さまです。」すでに『知恵の書』は、義人の死について、「彼は別の場所に運ばれた」と述べている。だれによって？　確かに、神によって。

スによって眠りについた人たちを、イエスと一緒に導き出してくださると信じるのです」[14]（一テサ４・14）。殉教者ステファノは「主イエスよ、私の霊をお受けください」と言い、「こう言って眠りについた」（使７・59以下）。キリストが御父にご自分の霊をゆだね、御父に捕らえられ（ルカ23・46）、御父に向かって死ぬことができたように、信者はキリストに受け取られ、キリストご自身の死の中で眠りにつくのです。

「キリストは陰府《よみ》に降られた」

キリストは「御父に通じる門で、アブラハム、イサク、ヤコブ、預言者たち、そして使徒たちと教会もこの門を通って入った。」アンティオキアの聖イグナツィウス[15]はここで、おそらく、かつては大切なものとみなされ、常に宣言されていた信仰個条の一つ、すなわち「イエスは陰府に降られた」[16]という真理に言及しているように思われますが、今日では、この真理はほとんど理解されていません。

「陰府に降られた」という表現は、単にキリストが死んで葬られたことを意味しているだけかもしれません。[17] しかしかつては、イエスは陰府に降られ、彼に先立って死んで、地下の一定の場所、すなわち「陰府」[18] に集められていた人々と出会ったと考えられていました。救いは、キリストとの交わりのうちにおいてしか得られないということが知られ

14　ただしギリシア語の句読法が明確でないため、この翻訳は確実とは言えない。次のように句読点を打つこともできる。「……眠りについた人たちを、神はイエスによって、イエスと共に導き出してくださる……」これはエルサレム・バイブルおよびE・オスティの聖書で、R・リゴーが、『テサロニケ人への第一の手紙』の注釈の中に記している翻訳である。こちらを取るべきだと思う。

15　Philad.,9.　Sources Chr.10,151.

16　A・ハルナック（Marcion,Darmstadt,1960,p,130）は、「それは現代の教会の中では干からびた遺物でしかなくなったが、当時は、要石の一つであっただけでなく、救い主の宣教の本質であった」とさえ言っている。

17　聖イレネウス『異端反駁』V31、2　「死者の掟を守るために」参照。

18　ここで述べている「陰府」とは、初めの数世紀において理解されていた意味での、使徒信条の中にあるとおりの「陰府」である。今ではこれを違ったふうに解釈することもある。

ていました。ところで旧約時代の人々は、生きている間に、福音を聞くことも、キリストに出会うこともありませんでした。彼らは「約束されたものを手に入れませんでしたが、それを見て、遠くから拝して」（ヘブ11・13）死んでいったのです。「なぜなら神は、私たち（キリスト者）のために、さらに勝《まさ》った運命を用意しておられたので、彼らが私たちを抜きにして（私たちより前に）、完成（栄光）に達することを望まれなかったからです」（同11・40）。「聖所への道はまだ開かれていなかった」（同9・8）。彼らは自分たちを神の国へ導き入れてくださるお方を待たなければなりませんでした。それで、死んで栄光をお受けになった[19]イエスは、陰府に降り、彼らに会い、彼らを神の国に引き連れて行かれたのです。「死んだ者にも福音が告げ知らされた」[20]（一ペト４・６）という言葉はまさにこのことを言っているように思われます。

想像力がまとわせたイメージを超えて、イエスの陰府への降下は、偉大な真理を表現しています。死んで栄光をお受けになったイエスは、あらゆる時代の主、あらゆる人間の運命となられ、地上で彼に先立って逝った人々と、彼らの死の中で出会い、彼らをご自分と共に永遠の命の中に入れてくださいます。彼らは地上で生きていた間に、キリストへの信仰のうちに見いだす救いを得ることはできませんでしたが、イエスはその救いを彼らの死の中に持ち運んで行かれました。[21]

初期のキリスト者たちが対象として思い描いていたのは、キリスト以前の時代に生きた人々のことでした。しかし人類の大部分は今日でもイエス・キリスト以前の状態にありま

19　「キリストは、肉では死に渡されましたが、霊では生きるものとされたのです。そして霊においてキリストは、捕らわれていた霊たちのところへ行って宣教されました」（一ペト3・18〜19）。「陰府への降下」への信仰は、第一にこのテキスト（難解な個所には違いないが）に依拠している。このテキストによれば、陰府で宣教するのは、死んで勝利したキリストである。

20　マタ27・52以下は、死者にもたらされたこの救いについて言及している。この個所の複雑な文体は、それが歴史的に確証された事実というよりも、一つの神秘を表現したものであることを暗示している。福音記者がこの個所で強調していることは、死者の復活は、イエスの死に起因し、その復活の力によって生起した、ということである。

21　東方教会のイコンは、陰府への降下を描いた画像の中で、死に対するキリストの勝利と、復活した主が死を通してもたらされる救いを表現している。

す。彼らは福音を耳にすることがないので、人生の途上でキリストに出会うことがなく、彼を信じることができないでいます。せめて彼らが死ぬときに、イエスとの出会いが与えられ、イエスの死にあずかって救われることができないなら、イエスはすべての人のために死んだことにはなりません。

キリスト者であっても、地上で生きているかぎりは、多くの点で、イエス・キリスト以前の人間です。今彼を生かしているキリスト――あなたがたはキリストにおいて生きている（一コリ１・30）――は、彼を招いている未来でもあります。最終的な出会いの中で、「あなたがたは神の子との交わりに招かれている」（一コリ１・９）。キリストは彼の手を取って、地上から天国への移行を助けてくださるはずです。

なぜならイエスは比類のない仲介者、通るべき道、唯一の門ですから。

かつて教会が熱心に「私審判」を説いていたころ、すべての人は自らの死において、キリストに出会うと教えていました。イエスを復活させた神は、彼を「生きている者と死んだ者との審判者として定められた」（使10・42）から。人は生涯の終わりに、永遠の報い、あるいは罪に定める審判者と出会うことになっています。しかし教会のこの教えは、実は裁判用語を用いて、人をその死において救うキリストとの出会いという、終極的な恵みを表現しているのです。[22]

イエスの死の中でイエスに出会うこと

イエスは死のうちにあって「陰府に降り」、死のうちにあって栄光を受けられました。死のうちにあって、死んだ人々に出会い、彼らがイエスと共に死んで、御父のもとに行くことができるようにされました。

22　確かに人間には、この恵みを受け入れるかどうかの選択の自由は残されている。この恵みを拒絶する人は、自分自身を罪に定められた状態に閉じ込めてしまうだろう。「キリストは裁くために来られるのではない」（ヨハ３・17参照）。

イエスの死は、その復活と同様、彼個人のものです。もしも彼が栄光をお受けになったその死のうちにあって、私たちをご自分の死と復活にあずからせるために、ご自身を私たちにお与えにならなかったとしたら、イエスの死も復活も私たちのものとはならず、その死もご自身が栄光に入るためにしか役立たなかったことでしょう。「イエスは**私たちのために**死んで復活された」（二コリ5・15）という言葉はこのような意味で真実です。イエスがそこにおいて復活された死は私たちの死ともなるのです。

人がイエスと出会うのは必ずそこ、イエスの死の中、彼の栄光化の場である死の中です。出会いの第一の秘跡である洗礼がすでに、キリストの死にあずかる儀式です。「あなたがたは知らないのですか。キリスト・イエスにおいて洗礼を受けた私たちは皆、またその死にあずかるために洗礼を受けたことを」（ロマ6・3）。聖体祭儀は出会いと一致の典型的な秘跡です。イエスは、「これを取って食べなさい。これはあなたがたのために渡される私の体」――私がそのうちにあって復活した私の死の中で、あなたがたが私と一体となるために――と言われます。生涯を通じて「キリストの死は私たちのうちに働いている」（二コリ4・12）。「私たちが彼と共に死ぬ」（二テモ2・11）最後の時まで。

栄光のキリストの存在はまさに神秘です。彼は死から出ることなく復活されました。栄光は彼を死から引き離しません。キリストは、死そのものの中で、受難の傷痕を残したまま栄光をお受けになりました。[23]イエスは「私は地上から上げられるとき、すべての人を私のもとへ引き寄せる」（ヨハ12・32）と宣言しておられました。こう言って、ご自分の天国への凱旋を予告されたのですが、ヨハネ福音書17章1節から3節によれば、それによって、彼はすべての人に永遠の命を与えることができるようになりました。しかし福音記者は「イエスはご自分がどのような死を遂げるかを示されたのである」（ヨハ12・33）と説明しています。別の言葉で言えば、イエスが地上から上げられ、父のもとに昇るのは、十字架を通してです。栄光はイエスを死のかなたに引き上げはしません。十字架こそ彼の栄光の永遠の座です。イエスは槍で突き刺された姿で人目にさらされます。「これらのことが起

23　ルカ24・40、ヨハ20・20

こったのは聖書の言葉――『彼らは自分たちの突き刺した者を見る』――が実現するためであった」（ヨハ9・37）。彼らは最後の日まで彼をこのような姿で見るでしょう（黙1・7）。槍で開かれた彼の脇腹から血と水とが流れ出ます。屠られたいけにえの血は永遠の典礼の一部です。信者はそれを振りかけられ、[24]自分たちの汚れた衣を真紅の血の中に浸し、そこから真っ白になった衣を引き出します（黙示7・14）。水は約束された聖霊を想起させます。それは栄光のイエスの脇腹から流れ出ます（ヨハ7・37～39）。血と水、屠られたいけにえと栄光は決して切り離すことはできません。イエスは永遠に勝利の獅子でありながら屠られた小羊（黙5・5）です。死においてこそ勝利するお方です。

しかしながら死を無に帰さない復活、栄光の命である死について語るのは、矛盾ではないでしょうか？　このことに関しては次のように区別すべきです。すなわち、生物学的に見れば、イエスの死は過去の出来事で、過ぎ去った現実ですが、人間的、ペルソナ的、贖罪的な観点から見れば、イエスの死は過ぎ去らない現実です。この観点からすれば、死は愛の絶頂にあるイエスです。この頂を越えるものは何もありません。イエスは愛の至高の

行為の中で永遠化されています。死は、人間の状況の極限の深みにまで至る受肉の神秘です。栄光はイエスを肉から解放しません。イエスはいつまでも「私たちがその栄光を見た肉となったみことば」です。ところで肉という言葉は、人間という死に定められた存在の状況を示します。死はまた、神の子を神である父の方へ運ぶ運動の中にいるイエスです。死によって、イエスは正真正銘、御父に向かう御子となります（ヨハ1・1、18）。イエスはこの運動、すなわちその死の中で永遠化されます。この運動は聖霊にほかならず、そのうちにあってイエスは御父に捧げられます（ヘブ9・14）。神の子とする霊のうちにあって、御父は御子を産むのです。イエスは永遠に自分の死の中で産み出されます。

死と栄光は結ばれます。死はペルソナの現実として、現行的です。贖い主イエスは現行的な贖いです。「彼は私たちのために……贖いとなられた」（一コリ1・30）。

聖書の幾つかのイメージは、イエスの死の意味を表し、完全な栄光のうちにある死の永

24　ヘブ12・24、一ペト1・2

続性に幾らかの光を投げかけます。どのイメージも栄光化は死の中で現実化し、死は栄光の中で永遠化することを暗示しています。

第四福音書によれば、死はこの世から御父への移行（ヨハ13・1）、御父のもとへの上昇（ヨハ6・62）です。この上昇の頂点、すなわち死の中で、イエスは栄光のうちにある御父のもとに至り、死と栄光は一致します。ところで栄光は永遠であるから、死と一致した栄光は、イエスをいつまでも死の中に留めます。

死は、また捧げ物として、イエスが自分自身を御父に捧げる奉献として見られています。「永遠の霊によってキリストはご自身を捧げられた」（ヘブ9・14）。贈与は、受容する行為が与える行為に応じるとき、実現します。「父よ、あなたの御手に私の霊を委ねます」と言ってイエスが自らを与えるとき、彼は虚無の中に落ちるのではなく、栄光を与える御手に受け取られます。こうして贈与と受容、死と栄光化は一致します。死と一致した永続的な栄光化によって、イエスは死のうちに永続的に留まります。

死のうちにあるイエスは、贖いの功徳を積むイエスです。功徳を積むとは何を意味するのでしょうか？　神に対して功徳を積むとは、神の賜物に同意すること、神に自分を開くこと、神を迎え入れることです。死はイエスの際限のない受容、御父に対する無条件の同意です。イエスは受容の後で報いられるのではなく、栄光の受容において栄光化され、死と一致した永続的な栄光化によって、死のうちに永続的に留まるのです。

したがって栄光はイエスを死から引き出しません。死は神の子である人間イエスに栄光を与えています。自己贈与において、贖いの功徳において、受肉の全神秘において、御子を御父に運び、神の子とする霊の充満において、イエスは永遠に上昇の極限にあります。イエスはその死において永遠化されます。

この真理は非常に大切です。もし栄光がイエスを死のかなたに引き上げるものなら、人は救いをもたらす彼の死にあずかることができないでしょう。その場合、イエスが人である神の子の偉大さを成すものから引き出されるだけでなく、また彼の地上の人生が栄光のうちに受け入れられないだけではなく、イエスは人類から取り去られ、人類は死に定められたまま取り残されることになります。人類とイエスの間にもはや何の類似性もなくなってしまうでしょう。イエスは人間の状況と全く縁がなくなり、近づきえないお方となり、地上の教会の頭ではなくなってしまいます。イエスの復活にあずかるためには、彼と共に死に、彼と共に復活しなければなりません。もしイエスがもう死の中におられないなら、どうして彼と共に死ぬことができましょうか。キリストが私たちの過越でないなら、その栄光の死の中で私たちを抱きしめてくださる仲介者でないなら、私たちはこの世から御父のもとへどうして渡って行くことができましょうか？

以上のことから、なぜパウロが次のように言うことができるのかが理解できます。つまり洗礼はキリストの死のうちにキリストとの交わりに入ることであり、[25]エウカリスティアは死のうちにあるキリストの現存の秘跡であると。そして、キリスト者の全生涯を通じて「キリストの死が私たちのうちに働いている」（二コリ４・12参照）と。キリストとのあらゆる交わりは、彼の死への参与です。

イエスは地上の生命と天上の生命が交差する場、その岸辺に立っておられます。そこで彼の地上の生命は天国に達し、神の子の永遠性がイエスの人性の中に包含されます。それゆえにこそ、イエスは私たちの過越であり、門であり鍵、また神の国への入口であり神の国そのものなのです。イエスがご自分の死の中で私たちに出会われるのは、私たちが彼と一体となり、彼と共に御父に向かって死んで行くことができるためです。[26]

それゆえ、死を恐れる人、安心してください！　私たちを裁くキリストは、私たち一人ひとりの死のうちに私たちに会いに来られ、「これはあなたがたのために渡される私の体」と、エウカリスティアと同じようにご自身を与えてくださいます。彼は私たち一人ひとりのためにご自身を渡され、私たち一人ひとりのために死なれたのです。イエスはあなたの

25　ロマ6・3、コロ2・12

26　「聖書に書いてあるとおり三日目に復活した」（一コリ15・4）という証言は、この死と栄光化の同時性に矛盾するものではない。このことに関しては、拙著『イエスの復活、救いの神秘』の中で述べたことがある。一コリ15・4の正しい解釈のためには、長い説明が必要である。参考として、ドイツ司教団の現代表K.LEHMANNの著書を挙げておく。Auferstanden am dritten Tag.Quaest.disp.38.Freiburg,1968.

ために死んだ者としてあなたを裁きに来られますが、それは、神の国の門を閉ざすかもしれないあなたのすべての罪からあなたを放免するためなのです。私たち罪人を裁くお方は、世の罪を除く神の小羊です。

「あなたがたは長子たちの集会に近づいた」（ヘブ12・22）

キリストは、ただお一人で信者に会いに来られるのではありません。彼は決して自分だけでは救いの業を行われません。「私のいるところに私に仕える者もいることになる」（ヨハ12・26）。彼は自分自身として、また彼と一体をなす共同体の頭として復活します。彼は教会の花婿として、教会と一体となって復活します。彼は幹と枝が切り離されていないぶどうの木です。行為の一つひとつを教会の頭として行われ、決して離別しない花嫁と一緒に働かれます。彼は花嫁である教会と一緒に人々に出会いに来られ、彼らに死を通過させます。パウロは「私たちの主イエスがすべての聖なる者たちと一緒に来られる」（一テサ3・13）[27]と言っています。

すでに地上の生涯のうちに、私たちは「天に登録されている長子たちの集会……に近づいた」（ヘブ12・22）。今すでに、キリストを信じるすべての人のうちにおいて、天と地は触れ合っています。なぜなら神は「私たちを天国に、キリスト・イエスと共に天の王座に着かせてくださった」（エフェ2・6）から。しかし死の間際には、肉体の崩壊とともに境界線が消え始め、彼岸を隠していた壁が崩れてきます。なぜなら彼岸の認識を妨げているのは、地上の状態だからです。内なる眼が次第に開かれていき、見え始めた世界の美しさに驚嘆します。心は「完全なものとされた正しい人たちの霊」（ヘブ12・23）の存在を感じるようになります。

27　しかしこのテキストの意味は明確ではない。ここで言う聖なる者とは、パウロがいつも「聖なる者」と呼んでいたキリスト者のことであろうか、それとも旧約聖書がこの名で呼んでいる天使たちのことであろうか。テサロニケ人への手紙の文脈からはどちらとも決めがたいが、第二の解釈のほうがおそらく適当である。

そこには、地上で彼を深く愛し、彼に先立って亡くなった人々がいます。彼はそれほど大きな愛にふさわしくなかったかもしれませんが、彼らは彼を愛していました。天国には彼が洗礼名を頂いている聖人あるいは聖女がいます。そこにはおそらく、彼がたびたび取り次ぎを願ったために、非常に親密な友となった他の聖人たちもいるでしょう。彼らは家の敷居で待っています。彼らは彼を迎えるために天国を離れる必要はありません。御父によって栄光のうちに上げられながら、地上に遣わされたキリストのうちにいるので、彼らはいつも私たちとの出会いを生きています。最後に、そこには主の母がおられます。信者はこの母に「罪深い私たちのために今も、死を迎えるときも祈ってください」と絶え間なく祈ります。キリスト者は一人で死ぬのではありません。彼は聖徒の交わりにおいてキリスト者であり、聖徒たちに取り巻かれて死ぬのです。

キリスト者は、教会の中で生まれたように、教会の中で死にます。洗礼に始まった新生は、教会の中で充満に達します。人は「上から生まれる」。人は、神の豊かな胎である霊と、霊において聖とされた教会から生まれます。私たちは天から生まれます。天上での教会は地上における教会よりもさらに母的で、上から生まれさせてくださいます。なぜならそこでは霊が完璧に支配し、母性愛が最も濃密に凝縮しているからです。肉体的な誕生においては、母と子は離ればなれになりますが、教会は、死者をその胎に迎え入れることによって産むのです。

この母なる教会は一人の聖なる女性の中に「要約され、包含されている」。[28] この最高に聖なる女性に向かって「ここにあなたの子がいる」（ヨハ19・26）という言葉がかけられました。この言葉はイエスが死に入るときに発せられました。マリアはイエスの死との交わりにおいて信者の母です。彼らがキリストの死との交わりに入るとき、この母が彼らに与えられます。

28　J・J・オリエ『聖なるおとめマリアの内的生活』（Paris　1875）p.242

第三章　死における交わり

「御子との交わりに招き入れられ」（一コリ１・９）

キリストは会いに来られます。彼は人々をご自分のほうに呼び寄せるために来られ、この招きを通して、人々をご自分の死と復活の交わりに入らせるのです。

この世で、神はこのように働かれます。神は呼びかけます。神は呼ぶことによって創造なさいます。「神は存在していないものを呼び出して存在させる」（ロマ４・17）。神は御子に向けて万物を呼び出されます。「万物は創造された……御子に向けて」（コロ１・16）。神はキリストを信じる者たちにはもっとはっきりとした招きを与えます。神はキリスト者を招きます。[29] キリスト者は自らを「招かれた者」[30]、「キリスト・イエスのものとなるように招かれた者」[31]と呼びます。「彼らは御子との交わりに招き入れられた」（一コリ１・９）。キリスト者は招かれたことによって今や聖なる者です。[32] キリスト者の存在は、彼らが招かれている召命に等しいのです。[33]

イエスはこの同じ言葉を用います。彼の役割は招くことです。「私は招くために来た……」（マタ9・13）。人々は神の国の饗宴に招かれています。イエスは「私について来なさい！」[34]あるいは「私のところに来なさい」（マタ11・28）と言って招きます。第四福音書もよく似た表現を用いています。御父は弟子たちをイエスに「引き寄せる」（ヨハ6・44）。栄光の死の高みから、イエスは「すべての人をご自分に引き寄せる」（ヨハ12・32）。

創造し、救い、聖化する恵みとはそのことです。「招き」と「恵み」という二つの言葉は同じ現実を指します。私たちは恵みによって招かれています（ガラ1・6、15）。あなたがたの「行いによってではなく、恵みによって」というパウロの対句は、ローマの信徒への

29　ガラ1・6、5・8、一テサ5・24、一ペト1・15、二ペト1・3
30　一コリ1・24、またロマ8・28、黙17・14、ユダ1参照。
31　ロマ1・6。彼らは、神の招きによって、キリストのものとなる。
32　ロマ1・7、一コリ1・2
33　エフェ4・14、二テモ1・9
34　マタ19・21、ルカ5・17、9・59、ヨハ1・43、12・26、21・19

手紙9章12節では、「行いにはよらず、招く方によって」となります。

どのようにして神は人をキリストに引き寄せるのでしょうか？　キリストを啓示することによって。パウロは「彼に御子を啓示することを神が望まれたときに召し出され」（ガラ1・15以下参照）ました。「引き寄せるのは啓示である……御父によって啓示されたキリストが引き寄せないことがあろうか？」[35]美と真理を愛する人間は、正義、幸福、永遠の命におのずと引き寄せられます。「そしてキリストは、そのすべてである。」[36]「キリストはまことのパンであるから、人はそれを欲する。なぜなら心は、この甘美な天のパンを味わって喜ぶから。」[37]

最終的到来、キリストのパルージアはこのようにして実現するでしょう。キリストはこの世に再び来られるのではありません。なぜならキリストは地上の人間としてはただ一度死んでおられるから（ロマ6・10参照）です。キリストは、世をご自分のもとに引き寄せることによって、世にご自分を啓示することによって来られます。「御子が現れるとき、私たちは御子に似たものになり」（一ヨハ3・2）、「主と出会うために連れて行かれる」（一テサ4・17）。

キリストはこのようにして死にゆく人と出会いに来られます。彼は招くお方としてお現れになります。徒労の夜が明けると、イエスはそこ、永遠の岸辺に立っておられます（ヨハ21・4以下参照）。その臨在は招き、ご自分に引き寄せることによって、死を渡らせてくださいます。

このように主に引き寄せられて死ぬとはなんと幸いなことでしょうか。教会は「主よ、この世からあなたのもとにお召しになったあなたのしもべ（はしため）の魂をお迎えくださ い」[38]と願います。リジューの聖テレーズの表現は一風変わってはいますが、美しいものです。「神様はあなたを吸い取られるでしょう。一滴《ひとしずく》の小さな露のように。」[39]

35　聖アウグスティヌス『ヨハネ福音書講解』26,5（CCL36,262）
36　同上26,4（CCL36,261）
37　同上
38　葬儀儀式書n.223
39　『最後の対話』p.202

人を呼び出すことによって創造し、洗礼における招きを通してキリスト者とする神は、死において御子との交わりへの招きを完全に成就します（一コリ１・９参照）。「万物はキリストに向けて創造された」（コロ１・16）という言葉は、死において余すところなく実証されます。死とはまさに創造の頂点なのです！

「この世を去ることと、キリストと共にいること」（フィリ１・23）

このテキストのギリシア語原文では、ただ一つの冠詞が二つの不定法の動詞にかかっています。すなわち「私はこの世を去ることとキリストと共にいることを熱望している。」去ることと、共にいること、この二つの出来事は同時に実現します。出会いは死の後に続くものではなく、人は交わりの中で死ぬのです。[40]

使徒がこの世を去ることを欲するのは、この世では流謫の身であると感じるからです。

「体を住みかとしているかぎり、自分の家の外にいて、主から離れているのです」（二コリ5・6）。主ご自身が私たちの家であり、私たちは死を通してそこに入り、いつまでもそこに留まります。「自分の命を憎む（死を受け入れる）者は命を保つだろう。そして私のいるところに私に仕える者もいることになる」（ヨハ12・25以下）とイエスは約束されました。

「キリストと共にいる」という表現は、それ自体では、キリストの傍に、同じ場所にいるということしか暗示しません。しかしキリストはその死と栄光において、もはや空間の法則に支配されていません。死にゆく人もまたその地上の体を離れるとき、空間の法則から解放されます。出会いは本質的にペルソナ的な出来事で、場所的なことではありません。なぜならキリストご自身が天（エフェ2・6参照）、信者の命のある所ですから。「あなたがたはキリストのうちにいる」（一コリ1・30）。「キリストと共にいる」ことは、聖パウロにとっ

40　後でさらに繰り返して、死は人間の終極の未来であると同時にその決定的な状態であること、つまり、命に入ることであると同時に命そのものであることを確認します。そのことはまずキリストにおいて実現し、彼は死の神秘そのもののうちにおいて栄光化されます。

ては愛ゆえの熱望です。現存を熱望することは、相互の内在化を熱望することです。それはイエスが御父との間で体験されていたもので（ヨハ14・20）、弟子たちにとってはイエスの過越によって開始されました。「その日にはあなたがたは知るであろう……あなたがたが私のうちにおり、私があなたがたのうちにいるということを」（ヨハ14・20）。アンティオキアの聖イグナツィウスは自分をキリストのうちに沈めてくれる死を熱く望んでいました。「キリスト・イエスのうちに（eïs）死ぬことは、私にとってよいことなのです。」[41]この言葉の中で、ギリシア語の前置詞 eïs（〜の中へ、に向かって）はある運動を表現します。死は人をキリストの中へ沈めます。そのときキリストの中に（eïs）入れる洗礼（ロマ６・３）は、その十全な効果を獲得するのです。「世がもはや私の体を見なくなるそのとき、私はまことにキリストの弟子となるのです。」[42]キリストとの死の交わりの前表である聖体祭儀の中で、キリスト者はこの「キリストと共にいること」の最上の体験をします。聖体祭儀は、キリストのそばに座らせるものではありません。それは相互の親密な現存を実現するものです。それは愛し合う人たちが熱く望んでいるような、相互の摂取なのです。

「キリストと共に死ぬ」（二テモ2・11）

この相互の内在化には同じ一つの死の分かち合いが伴います。この地上ですでに、同じ一つの死の交わりにおいて、キリスト者はキリストのうちに生き（一コリ1・30）、キリストはキリスト者のうちに生きておられます（ガラ2・20参照）。「キリストのうちにいる」と、「キリストと共に死ぬ」、「キリストと共に復活する」というパウロの表現は相関的です。洗礼は「キリストと共に死ぬ」（ロマ6・3）ことを通して「キリストのうちにいる」ことを可能にします。聖体祭儀は教会をキリストに結びつけ、キリストの死と復活の過越にあずからせることによってキリストの体とします。キリスト者の全生涯はキリストとの同じ運命の分かち合いの中で過ごされます。「私たちはいつもこの体にイエスの死を担っていま

41　アンティオキアの聖イグナツィウス『ローマ人への手紙』6・1

42　同4・2、同3・3参照「人が私をキリスト者と呼ぶだけでなく、私が真実にキリスト者であるために。」

す。それはイエスの命もまたこの体に現れるようになるためです」（二コリ4・10）。この交わりにおいて、イエスは永遠の聖所へと通じる道です。「私たちにはイエスの血という聖所への確かな道があります。この新しい、生きた道を、イエスは垂れ幕、すなわちご自分の肉を通して、私たちのために開いてくださったのです」（ヘブ10・19～20）。

洗礼とそれに続くキリスト者の全生涯が、同じ一つの死を死ぬことによるキリストの死への参与であると言うとき、使徒は比喩を用いているのではありません。単にキリストの死に似た死のことを言っているのではありません。信者はキリストの死の中に入り、この世から御父へのキリストの移行にあずかります。すでに洗礼から、キリスト者はキリストとの死の交わりを生き始めますが、それは彼が生涯の終わりに体験するものです。二テモテ書2章11節において問題になっているのは洗礼ではなく、地上での生涯の終わりの死ですが、同じ表現が用いられています。「キリストと共に死んだのなら、キリストと共に生きるようになる」と。

それ以外にありえません。なぜならキリストは永遠に死の中に留まっておられ、その死のうちに栄光を受けておられるのですから。[43] その最終的な出会いの中で、死にゆく人はキリストとの完全な死の交わりの中に入り、洗礼の恵みは最高の効果を発揮するのです。

けれども人は他者の死の中で、人間イエスの死の中で死ぬことができるのでしょうか？だれにとっても死ほどプライベートなものはなく、他者の侵入から守られているものはありません。死にゆく人が人として不可分であるように、彼の死も当然分かち合うことはできません。しかしイエスは神の子として、比類のない救い主です。イエスは死において地上的存在としての限界を脱し、無限に開かれた存在となり、多くの人を自己の最も内的な深み、すなわち自分の死の中に迎え入れることができるようになります。彼らすべてを彼らのうちの最も内的なものにおいて、つまり彼らの死において受け取ることができるようになります。したがって、イエスの栄光化された死は実質的に救済的です。なぜなら私たちがそれにあずかることができるから。ここで「イエスは私たちのために死なれた」という言葉は、十全の真理となります。なぜならイエス個人のものである死、その中にあって

43　第二章「死におけるキリストとの出会い」参照。

御父から命を受け取る死が私たちのものとなり、同様に、キリストの命も私たちのものとなるのですから。聖パウロはこれを「キリストは私のうちに生きておられる」（ガラ２・20）と言っています。

ここにもう一つの疑問が呈されます。イエスの死は人間の死でした。ところで人は、全くの無力さのうちに、存在の徹底した収縮とあらゆる関係からの断絶の中で死にます。これをどう理解すべきでしょうか？　確かにイエスは人の死を死なれたのですが、ただの人として死なれたのではありませんでした。人としては無力さの中で死なれましたが、神の子としては、聖霊のうちにあって、ご自分がそれによって産み出された聖霊の力の中で死なれたのです。「イエスは永遠の霊によってご自分を神にささげられた」（ヘブ９・14）。彼においては無力さそのものが、神の全能なのです（一コリ１・25参照）。彼は、全くの無力さの中で、神の子とする霊の無限の力を帯びて、御父のもとへ行きます。受肉の神秘はその瞬間に高い頂に達します。聖霊によって御父のもとへ運ばれる永遠のみ言葉が、イエスの人間性の中でその力を余すところなく発揮します。神の命の霊は、御父に向かうイエスの死です。死におけるイエスは、聖霊のうちに、御父のもとへ行く永遠の御子です。

それゆえイエスの死は、無限の広がりを持つ運動、人類を巻き込む宇宙の大河の流れで、死に定められた存在としてのすべて人間を抱き込みながら、彼らをその死のうちに神から生まれた人間とします。死におけるイエスの包容力には限りがなく、イエスの包容の意志にも限りがありません。なぜなら彼はすべての人のために死なれたのですから。イエスはすべての人のために、御父のもとへ行く御子なのです。

聖霊によって人間存在の根底まで開かれたものとなったイエスは、同じ霊によって、一人ひとりの人間を最も人格的な層において、すなわちその死において開くことができます。こうして一つの死に二人であずかるということが実現可能になります。聖パウロは「キリストは私のうちに生き、私はキリストのうちに生きている」（ガラ2・20）と言うことができます。復活したキリストは私の死の根源であり、ご自分の死のうちにありながら私のうちにおられ、私は彼と共に死ぬのです。

イエスにおいて死は比類のない光を放ちます。イエスの死は神的なもの、御子における三位一体の神秘、つまり、聖霊の無限の力によって御父のもとへと運ばれ、御父と一つになる御子の神秘です。イエスの死は普遍的な救いです。イエスはご自分の死の中で、各人の死を成就することによって、**すべての人の死を死ぬのです。**[44]

愛し合う人たちは、二人がただ一人でしかないような完全な一致を夢見ますが、決して実現することはできません。それをキリストは、全能の愛である聖霊、望むことを創造する愛である聖霊によって成就します。聖霊において、御父は御子と一つ、キリストとキリスト者は、各々の人格的で、非常に内的な部分において一つです。聖霊がイエスに、そして彼の弟子に、「死において交わる」[45]こと、つまり二人で死ぬことができるようにします。聖霊はこうしてエデンの園の扉を開くのです。なぜなら完全な交わりは完全な幸福だから。

同じ死と復活によって、同じ一つの体のうちに主と結ばれた（一コリ12・13、27）教会は、すでにこの地上から絶え間なく、この婚姻を祝っています。[46]「キリストの体は、教会の婚姻の寝間である」、そこでキリストと教会は死のうちに共に眠り、復活のうちに共に立ち上がります。[47] 地上の人生の終わりに、この婚姻は荘厳に祝われます。真夜中、地上の光から天上の光への移行のとき、「花婿だ！」（マタ25・6参照）という叫び声が鳴り響きます。

アビラの聖テレサが臨終の床に就いていたとき、司祭がエウカリスティアを持ってきました。それを見た聖女は――いつもならベッドの上で彼女を動かすだけでも二人の姉妹の手が必要だったが――驚くほどやすやすと立ち上がってひざまずきました。彼女の顔は紅潮していました。

「私の主、私の花婿！
待ち望んできた時が来ました。

44　P・エンマニュエル『人間の顔』（Paris,1965）p.259「神である人間がただおひとりですべての人の死を死ぬことを、つまり自分の死の中で一人ひとりの死を死ぬことを引き受けられるとき……」
45　テイヤール・ド・シャルダン『宇宙の賛歌』（Paris,1961）p.31
46　ロマ6・3〜11、コロ2・11以下。
47　聖アンブロジウス、詩編一一八注解。第一説教16（CSEL62,16）

私たちが結ばれる時です。

愛する方、私の主よ！」[48]

臨終の苦悶、激痛あるいは麻痺状態のかなた、終着点、着地点には、途方もない喜び、完全な愛への移行の喜びが準備されています。そこでキリスト者は主と共にただ一つの死の交わりの中に入るのです。「人生の絶頂は、結合のうちにおける死である。」[49]

「こうして私はキリストを知るであろう」（フィリ３・10）

聖パウロはキリストを知ることに激しく渇いていました。「キリスト・イエスを知ることのあまりのすばらしさに、今では他の一切を損失と見ています」（フィリ３・８）。けれどもパウロはずっと前からキリストを知っていました。「私は私たちの主イエスを見たではないか？」（一コリ１・９）しかし彼の愛の望みの秤《はかり》にかければ、彼の知っていることなど無に等しいのです。彼が渇望している知識は、完全な相互現存の経験においてしか得られません。彼の望みは、「キリストを得ること……自分が捕らえられているように、キリストを捕らえること」（フィリ3・8、12）、神に固有な認識様式によってキリストを知ることなのです。それは、ヨハネ福音書でイエスが、「私の父が私を知り、私が私の父を知っているように。私は父のうちにおり、父は私のうちにおられる」[50]と語っておられるような認識です。

このような認識は、互いに自分を相手に全く明け渡すことと、互いに相手のすべてを受け入れることを条件とします。キリストは私たちを知っておられます。なぜなら彼は私たちのためにご自分を渡され、また私たちを限りなく受け入れてくださるお方だから。けれども私はまだそこまで達しておらず、「なんとかしてキリストを捕らえようとして、歩み

48　時に違ったふうに伝えられるこの言葉については、O・ルロワ『アビラの聖テレサ』（Paris,1962）p.168を参照。
49　テイヤール・ド・シャルダン『神の場』（Paris,1957）p.144
50　ヨハ10・15、14・11

続けて」（フィリ3・12）、「自分自身が知られているように、キリストを知るために」（一コリ13・12）、この「最高の善」を勝ち得るために、「すべてを失う」ことに同意しなければなりません。「キリストを得、キリストのうちにいるものと認められるために」（フィリ3・8～9）。自分のすべてを明け渡すとき、私はついにすべてを受け入れることができるようになるでしょう。「肉において」、つまり、すべてに限度がある（ただし望みだけは別である）この存在様式において生きているかぎり、自分を明け渡すことも、他者を受け入れることも完全には果たされません。

したがって死の来たらんことを！　絶えず他人の目を意識してとりつくろっている表面的な自我から私たちを解放し、私たちの中に深淵を開いてくれますように！「自分が壊れていくのを見るのは、なんという喜びでしょうか！」とリジューの聖テレーズは言っていました。[51]死を前にした不思議な歓喜！　この若く偉大なキリスト者がここで歌っている喜びは、死を破壊する死、囲いを打ち砕く死の喜びであり、ついに限りない愛で愛することができるようになるという喜びです。

大きな愛はすべて本能的に死を志向します。途方もない熱望のための限界突破の可能性が死の向こう側にあるのを感じるのです。愛と死の文学があります。愛し合う二人が、極みまで愛したいという、狂おしい望みを抱いて、命を絶つ。こうした夢の中に、愛を解放するキリストの十字架への盲目的な招きのようなものを読むことができないでしょうか？

イエスは教会と結ばれるために死ななければなりませんでした。彼は死において教会を知ります。「私は私の羊を知っている……私は羊のために命を与える」（ヨハ10・14〜15）。信者はキリストとの死の交わりの中で彼を知るために死ななければなりません。「その日には」、共に過ぎ越す日には、「あなたがたは知るであろう。あなたがたが私のうちにおり、私があなたがたのうちにいることを」（ヨハ14・20）。

このような認識を与える交わりを維持するためには、両者は死のうちに留まらなければなりません。信者にとってもキリストにとっても死は永続するものだから、認識も永続し

51　『最後の対話』p.263

ます。死はいつでも開いている扉です。そのおかげで、キリストと信者は互いのうちにいつまでも留まることができます。

「自分の命を与えることほど大きな愛はない」（ヨハ15・13）

今まで、キリスト者はこのように、これ以上大きな愛はないという愛で愛することはできませんでした。この世では決して至高の愛の行為を実行することはできませんでした。ところがまことのキリスト者であるためには、そのようにして、「心を尽くして愛しなさい」[52]という第一の掟を守らなければならないのです。

この世では人は望みどおりに、夢に描くように愛することはできないし、人生に完全に成功することもできません。アンティオキアの聖イグナツィウスにはそのことが分かっていました。人は決して全く真実に人となることも、完全にキリスト者となることもできません。[53]どんなに努力しても、必ず失敗の余地が残ります。自分自身を完全に所有していないのだから、自分のすべてを与えることなどどうしてできましょうか？　人生は断片的で、時の流れの中に分散していきます。自分を与えることも結局、断片的にしかできないのです。いろいろな行いによって愛を表しますが、すべての行いが愛の表現ではありません。人は自分を与え尽くすことはありません。彼は良心的でありえますが、愛そのものではありません。この失敗を人は愛の望みによって償おうとします。人は絶え間なく愛することをやり直します。神の似姿、愛そのものである神の似姿としての自分の真実を求めつつ。

この世ではイエスご自身でさえ、自分の命を与える（ヨハ15・13）という、至高の愛の行為を実行することはできませんでした。また御父に対する無条件の同意のうちに、死にい

52　聖トマス・アクィナス『神学大全』（IIa IIae,p.44,a.6）「人間がこの掟を全く完全に実行することができるのは、天国に入ってからのことであろう。地上では不完全な仕方でしか実行できない。」

53　「ローマ人への手紙」4・1、6・2

たるまでの従順（フィリ2・8）の行為を実行することもできませんでした。イエスはまだ全存在を挙げて、御父へと向かう者ではなかったのです。

そして今、最大の愛の時が来ました。「今こそ、魂のすべての財宝が一つに集まり、愛の河が海に流れ込む時である。」[54]海がそこに流れ込む河川とは別のものであるように、死は何ものもそれに比べることのできない愛の行為です。今こそ愛は最大に、つまり無限に達しました。人はもっぱら神に向かう至高の運動の中で生き、自己賦与そのものとなります。愛するだけでなく、愛そのものとなります。以後彼は被造物でありながら神の永遠性に参与しますが、同じように、愛である神の存在様式にも参与します。神の似姿としての人間の創造は、こうしてイエスとの交わりのうちに成就し、イエスは「成し遂げられた」と言うことができます。自己賦与はもはや取り消すことができず、その徹底性には疑いを差しはさむ余地はありません。

十九世紀の哲学者F・L・ラヴェソンは八十七歳で亡くなりましたが、その直前に「私は最後の言葉を言わずに死んでゆく」と言っていました。また「人はだれでも自分の仕事を終えずに死んでゆく」とも言いました。けれどもキリスト者は、自分の仕事を終えることができます。それまでは決して口にすることのできなかった決定的な言葉を言うことができます。「神様、あなたを愛します！」と。この言葉はすべてに意味を与え、人を神性に参与させます。なぜなら人の神性の意味は愛のうちにあるからです。

それはリジューの聖テレーズが最後の息の中で口にした言葉でした。彼女は愛の行為をしながら死にました。しかし彼女は何年も前から、愛しながら死ぬことだけでなく、愛の過剰が自分の人生の流れを断ち切ってくれることを、つまり愛で死ぬことを望んでいました。「愛によって死にたい。」[55]そして自分の望みが実現するだろうという確信を抱いていました。ところが彼女は肺結核で死にました。結核菌の犠牲者！……とはいえ徹底した現

54　十字架の聖ヨハネ『愛の生ける炎』第一の歌の解説。
55　幼いイエスの聖テレーズの詩『愛の賛歌』（paris,1979）p.142。彼女はこの望みをたびたび表現し、それが聞き入れられることを確信していた。「『この甘美な出会いの幕を引き裂いてください』（十字架の聖ヨハネ）。私はいつもこの言葉を、私の望みである愛の死に当てはめていました。愛は、私の命の幕を擦り切れさせるのではなく、一挙に引き裂くことでしょう。」（『最後の対話』p.282）

実主義者であったテレーズは、愛の恍惚の中で死ぬことに憧れていたのではありませんでした。「主は十字架の上で、激しい苦しみの最中に亡くなられました。けれどもそれは最も美しい愛の死でした。」[56] 確かにイエスは十字架の刑罰を受けて死んだのですが、彼をこの世から御父のもとへと移行させたのは、彼の愛、つまり霊の愛の無限の力でした。イエスは「永遠の霊によってご自身を捧げられた」（ヘブ９・14）。テレーズは病気で死にましたが、彼女を神の深みに運んだのは限度を超えた愛の躍動でした。

愛の死は、選ばれたキリスト者の特権ではありません。御父に向かってキリストが死んでいかれたのは、すべての人のためであり、すべての人は、愛にほかならない彼の死で死ぬように招かれています。この愛の死においては、ただ愛の程度が人によって異なるのです。体の死は、さまざまな身体的原因によって引き起こされますが、この世から御父のもとへの移行は、ただ愛によってだけ成就します。人は霊の愛の力によって、永遠の友愛の中に、愛しながら入って行くのです。

「イエスの過越によって清められ」[57]

すでにこの世から、人は愛の本能に駆り立てられています。なぜなら神は人を、愛にほかならない聖霊の力によって創造されましたから。だれでも「私のうちには生ける水があり、それは『御父のところへ来なさい』とささやいている」[58]と言うことができるでしょう。

56　『最後の対話』p.263s.;cf.p.219 愛の死は、見えるものを超えたところにある。「それが確かに愛の死でありさえすれば、どう見えてもかまいません」（同書p.262）。
57　死者の日のミサの拝領祈願。
58　アンティオキアの聖イグナツィウス「ローマ人への手紙」

けれどもその愛の力がどんな妨げも受けず、その生ける水がどんな汚れにも染まらずに、絶えず完全な愛という自分に定められた目的に向かって歩んで行くような人はまれです。そのような人々は死が訪れると、彼らを愛に燃やしていた恵みの躍動によって、直ちに神の充満を受け入れることができます。彼らについては「煉獄を通らない」と言われます。

他の人々の死の場合、この躍動は十分力強く働かないので、彼らは、この世から御父のもとへ一挙に運ばれず、その最深奥が、愛に開かれることもありません。彼らは、境界線上で、つまり、すでにこの世の命を終えたにもかかわらず、まだ天国に入りきっていないという状態でストップをかけられます。彼らには、恵みの追加が必要なのです。神の全く無償の憐れみによって、清めを終えなければならないのです。

境界線の通過、つまり、死そのものが彼らの清めの場と言えるのではないでしょうか。[59] 死こそ、自分に死に、神の支配に全く身を委ね、神の創造に一挙に身を任せる時です。カトリックの信仰が語る煉獄は、確かにこの世の生の後に続くものですが、死の後に続くものではありません。死は最後の境界線であって、死の後には、御国に入るために通過しなければならないようなどんな場所もありません。救いの最後の恵みは、まさに死の瞬間に与えられるのです。[60]

次のように反論する人がいるかもしれません。多少とも大きな清めには多少とも長い時間が必要だ。ところで死は瞬間的なものであるから、煉獄のためには、死後の時間が前提されなければならない、と。しかし、この世の現実を支配する時間の法則は、この世を去った人間にはもはや通用しません。この清めは、時間の長さで計られるものではなく、その強度によって計られるものではないでしょうか。

かつては「この不可解な煉獄というものは一体どこにあるのだろうか」[61]と自問する人々がよくいました。キリストは御国への道であるから、人の清めは、キリストとの死の

59　ここで述べられているのは蓋然性が高いと思われる一つの仮定である。
60　このことは、死者のために祈るというキリスト教の習慣に反するものではない。第五章参照。
61　『神学大全』Suppl.,69,a8 参照。

交わりのうちにおいてこそ行われます。「彼らは小羊の血でその衣を洗い、白くした」（黙7・14）。人は清めが終わってからキリストと出会うのではありません。キリストとの出会いそのものが清めなのです。「キリストが現れるとき、私たちはキリストに似たものになる。なぜなら私たちは彼をありのままに見ることになるから」（一ヨハ3・2）。「キリストは私たちの過越」（一コリ5・7参照）、移行の仲介者、地上においても死においても私たちの清めの場（煉獄）なのです。

キリストは死のうちに、そして、この世から御父のもとへと彼を運ぶ聖霊の力のうちに、私たちの煉獄です。彼は人をご自分の贖罪の死の中に、つまりご自分を御父のもとに運ぶ聖霊の運動の中に引き受けることによって清めるのです。「煉獄の火」は、聖霊にほかならないのです。愛という金は、神の愛である聖霊の中で精錬されます。人は子とする霊によって、御父のもとへ運ばれます。イエスは清めの場（煉獄）であり、聖霊はその火なのです。

死は洗礼と同じく、人を三位一体の神秘の中に沈めることによって清めます。イニシアティブは御父にあります。御父が、聖霊の力によって、キリストの仲介を通して人に洗礼を授けます。「あなた方は」――神である御父によって――「主イエスの名と、私たちの神の霊によって洗われた」（一コリ6・11参照）。洗礼の恵みと同じく、死における清めも、三位の業です。洗礼と同じく、死は功徳なしに与えられる賜物、神の憐れみだけがもたらす効果、恵みの無償性の完全な例証なのです。

この清めの場に沈められた人はすでに天の御国に属しています。彼はキリストとの出会いを、まだ暗がりにおいてでありますが、経験します。御父がそのみ顔を現し始めるのです。聖霊は慰め主としての役割を最高に演じます。キリストの謙遜は、傲慢な人間の防備を剥ぎ取ります。御父の情愛と聖性は、人が、無限の命の中に流れ込むことができるように、その冷たさを暖め溶かします。栄光の霊は、天上の美にふさわしいものとするために心を清めるのです。

死者のための祈りは、彼らをキリストとの交わりと、御父の知識に至らせるためのものではなく、完全な交わり、全面的な直感を得させるためのものです。それによって彼らの至福は完璧なものとなります。[62]

「キリスト・イエスによって、天の王座に」（エフェ2・6）

永遠の昔から、神はご自分のために天を設けておられます。すなわち神は御子を産み、彼のうちに住み——「父は私のうちにおられる」（ヨハ14・10）——彼のうちに喜びを見いだされます。神はご自分の天を被造物に分かち与えられます。すなわち神は御子を世のうちに産み出し、人々がその巡礼の旅の終わりに御子において休息を見いだすことができるようにしてくださいました。「あなたがたは魂に安らぎを見いだすであろう」（マタ11・29）。イエスは、この世において、御父の天であると同時に、人類の天でもあるのです。

イエスは、ご自分が神の支配する場であるということを繰り返し教えられました。「私が神の指で悪霊を追い出しているのなら、神の国はあなたがたのところに来ているのだ」

（ルカ11・20）。「神の国はあなたがたの間にある」（ルカ17・21）。

死においてイエスは、ご自身をすっかり御父に明け渡し、御父はご自分の栄光の充満のうちにイエスを産み（使13・33参照）、ご自分の崇高な現存で彼を満たします（コロ2・9参照）。こうして創造における神の神殿の建設は完了するのです。同時に神殿の門が開き、天は多くの人々を迎え入れます。イエスは盗賊に、「今日、あなたは私と共に楽園にいる」（ルカ23・43）と言われました。キリストのうちにいる人は天にいるのです。「神は私たちをキリ

62　ジェノワの聖カタリーナ（一四四七―一五一〇）は、煉獄の神秘家あるいは神学者と呼ばれたが、煉獄の清めの強烈な喜びと極度の苦しみについて詳しく述べている。「煉獄の霊魂の喜びに比べられるような喜びは、天国の聖人たちの喜びを除いては、何一つありえないと思います。この喜びは霊魂に対する神の働きによって日ごとに増していきます。神の働きはますます増大し、ご自分の働きを妨げるものを焼き尽くしていきます。この妨げとは罪の錆です。火は次第にこの錆を焼き尽くし、霊魂は神の働きかけにますます自分を開きます。……この錆は火によって焼き尽くされます。錆が焼き尽くされるにつれ、霊魂はまことの太陽にさらされます。……このように、煉獄の霊魂は極度の喜びと極度の苦しみを併せ持っていますが、一方が他方の妨げとなることはありません」（『煉獄論』第二章14　P.DEBONGNIE,Ste Catherine de Gêne.Etudes carmélitaines,DDB,1960,p.203s.）。

スト・イエスによって、天の王座に着かせてくださいました」（エフェ2・6）。「こうして私たちはいつまでも主と共にいることになるのです」と使徒パウロは言います。そして喪の悲しみのうちにある人々に向かって、「ですから、今述べた言葉によって励まし合いなさい」（一テサ4・17〜18）と言い添えます。

「死は勝利にのみ込まれた」（一コリ15・54）

死が目に見えるとおりのもの、すなわち、決定的な最後、行き着く先のない旅立ち、あらゆる関係からの断絶であるなら、人生は不条理です。死に先立つ出来事のゆえに死は恐るべきものと見えます。だが死そのもののうちにおいて、キリストの過越におけるように、死は一変し、見かけとは全く反対のものとなります。この新しい世界の春に、死の顔は微笑みに変わり、使徒を魅了します（フィリ1・21〜23）。「最後の敵」（一コリ15・26）は、友となり、人間の最も深い願望をかなえる終極的な手段となるのです。死はその外見とは全く反対のものとなるので、アンティオキアの聖イグナツィウスは、死を命と名づけ、地上の生を死と呼びました。「私が生きること（つまり、死ぬこと）を妨げないで、私が死ぬこと（つまり、生に留まること）を望まないでください。」[63]

外見は命の終わりですが、イエスにおいて死は誕生、御子の神秘の開示です。イエスが永遠の誕生の瞬間に達すると、御父は「あなたは私の子、私は今日あなたを産んだ」（使13・33）と言われます。彼は死んで生まれました。神はこのキリストをもとにして、キリストに向けて人を創造します（コロ1・16参照）。神は人をキリストと共に死ぬように創造します。それは彼らを子としての完全さに導くためです。「私の生まれる日が近づいている」とアンティオキアの聖イグナツィウスは言っていました。[64] イエスが死において完全な誕生に達したように、信者もそうなるのです。その生涯を通じて、そして死において、人は自分の始まりに向かって遡ります。すなわち、人は永遠に誕生するキリスト――神はこの

63　「ローマ人への手紙」6・2
64　「ローマ人への手紙」6・2

キリストをもとにして、キリストに向けて人を創造する――との交わりに向かって遡って行きます。

死にゆく人は、自分のアイデンティティーを失うかのように見えます。その存在は瓦解してしまいます。しかし実は、死において彼は自分自身を産み、自分のアイデンティティーを獲得します。自分の深みに降りることによって、彼は真に、自分がそうであるところのものになります。[65] キリストに向かって死ぬことは、自分自身に向かって死ぬことです。「私がそこに達したとき、私は真に人間となるでしょう。」[66] なぜなら私はキリストにあって、キリストに向けて創造された人間だから。私は自分の永遠の名前（黙2・17参照）、神が口にされるその名を知るようになり、もはや自分自身にとって謎ではなくなるでしょう。[67] 両親は子供が生まれる前にすでにその子の名前を選んでいます。しかし本質的に父である神は、産むことによって語ります。産むことによって御子の名を呼び、み言葉を口にします。神は私をキリストのうちに産み出すことによって名づけるのです。したがって、私は自分の名前を知るためには、自分の完全な誕生を待たなければなりません。その神の子の名を私は喜んで受けるでしょう。それは確かに愛と憐れみの名、十字架の血と復活の金で記される名です。ついに私は自分が自分であることを喜ぶでしょう。「恐れるな。私はあなたを贖った。私はあなたの名を呼んだ。あなたは私のもの……あなたは私の目に値高く、尊い。私はあなたを愛している」(イザ43・1、4)。

外見的には死は旅立ちですが、実は、巡礼の終点、おそらくは迷える**巡礼の終着点**なのです。人は自分の祖国、自分の家に帰り着くのです。「この地上の幕屋が破壊され」(二コリ5・2)、「羊飼いの天幕のように引き抜かれ、取り去られる」(イザ38・12参照)とき、「はる

65　G・ベルナノス『手帳』(一九四八・一・二四)「罪のために私たちは自分自身の表面でしか生きていない。私たちは死ぬときになって初めて自分の中に帰るのである。」そのとき私たちは完全に自分の中に帰るであろう。

66　アンティオキアの聖イグナツィウス『ローマ人への手紙』6・2

67　リジューのテレーズは、死において自分自身を知りたいという抑えがたい望みを表現している(『最後の対話』p.210)。「彼女の写真を見せると、『でも、これは封筒です。中身が読めるのはいつでしょうか?　ああ、早く中身が見たいものです!』と答えた。」

かにまさった住みかを着ることになる」（二コリ５・２）。人はすでに洗礼によって「キリストを着ている」（ガラ３・27）が、使徒はなおも「キリストを身に着けなさい」（ロマ13・14）と勧告せずにはいられません。地上の存在を脱ぎ捨てるとき、信者は完全にキリストを着ることになるのです。そのとき「教会はキリストの体である」（エフェ１・23）という定義は、自らの完全な真理を見いだします。そのためにパウロは「体を離れて、主のもとに住む」（二コリ５・８参照）ことを熱望するのです。

死はあらゆる関係からの断絶と見えます。罪によって神からも隣人からも切り離された人にとって、死はまさにそれです。けれどもキリストにおいて、死は**十全な交わりに入ること**です。聖ヨハネによれば、イエスは「私は父のもとに行く」[68]と何度も繰り返して言われました。イエスは完全な交わりに向かって死に、全く真実に「御父の懐にいる」（ヨハ１・18）御子となられました。敵対者たちが望んだように、この世の外に投げ出されたのではなく、この世の中心となられました。キリストは「地の低いところに降りておられた……すべてのものを満たすために」（エフェ４・９〜10）。それ以後、彼は自分の弟子たちを兄弟と呼び（ヨハ20・17）、ご自分のうちに引き取り、ご自分は彼らのうちに住まう（ヨハ14・20）のです。イエスは「私は去って行くが、また、あなたがたのところに戻って来る」（ヨハ14・28）と言われます。キリスト者は、キリストとの交わりにおいては、どんな離別もなく、ただ自分の限界の狭さとの離別があるだけだということを知るのです。つまりキリスト者は、自分の隔てとなっていたものから隔たり、自分が愛してきた人々とついに限りなく親密に結ばれるのです。

死の重荷はこの世を隷属させるもののように見えます（ヘブ2・14以下参照）が、イエス・キリストのうちにあって、死は**解放するもの**です。「死について考えれば考えるほど、死は、全く新しいものが、一挙に押し寄せ、入り込むときで、……解放であり、軽減であることを発見する。……皮相的で実験できる宇宙の表面にいつまでも閉じ込められていると

68　ヨハ14・12、28、16・28、また13・33、36を参照。

感じるなら、息詰まるような思いがするだろう。」[69]私たちを宿している大地という母胎は非常に狭い空間です。子供はそこで生きますが、自由に呼吸することはできないし、すっかり自分自身になりきることもできません。母親は、子供を自分の胎内に宿すだけでなく、子供をそこから排出し、誕生させなければなりません。私たちの母なる大地も同じことです。大地を支配する掟に従って、大地は私たちをそのうちに産み出します。そして同じ掟によって、大地は私たちを死に導き、自分の胎の外へ投げ出します。大地は人間が新しく生まれ、息をすることができるように、閉じ込められた人生を離れさせてくれるのです。

死ぬことは失うことのように見えます。イエスは「命を失う者は……」と言われ、続いて「私のために命を失う者は、それを得る」（マタ16・25）と言われました。使徒は「死ぬことは益である」と言います（フィリ1・21）。こう言ってもパウロは儲けることを考えているのではありません。彼は「すべてを失いたい」（フィリ3・8）のです。キリストのように。キリストは死において何も持たないこと、もはや何者でもなくなること、ご自分を産む御父によってだけ何者かであることを受け入れられました。完全な喪失に同意するとき、信者はキリストの死に一致します。けれどもすべてを失うことはすべてを得ることです。御国のために命を捧げる者は、キリストと共に、死において御父から栄光を受けられたキリストと共に、そこに入ります。

キリスト者は、「主よ、私は何の報いも望みません。私はあなたの栄光と、人々が救われることだけを望みます！」と言っても無駄です。キリスト者は報いを逃れることはできません。報いは、自分を与えた後で頂くようなものではないのです。それならば拒むこともできるでしょう。だが愛そのものが報いですから、すべてを頂かずにすべてを与えることはできません。愛で死ぬことが、すでに最高の至福なのです。

明白な外見に反して、人間は**不死**です。なぜならその死は誕生だからです。この世に生まれたことによって、人は永遠に死に定められた存在ではありますが、死ぬことによって

69　テイヤール・ド・シャルダン『未来の巡礼者、書簡を通してのテイヤール・ド・シャルダン神父』Paris（Centurion）,1989. からの抜粋。

永遠に生まれるのです。

人が不死であるというのは、「魂」の風化はありえないという理由だけによるのではありません。人は創造主が彼の存在に組み入れた交わりのダイナミズムの効力のおかげで永遠に生きることになるのです。[70] 神は人を、死のうちに復活したキリストとの交わりに向けて招くことによって創造されました。すなわち、不滅の交わり、不滅の愛に生きる者として、死における不滅の交わり、不滅の完全な愛に生きる者として創造されました。人の不死性は本来キリスト的です。「私を信じる者は死ぬことがない」（ヨハ11・26）。[71]

それゆえ神の計画の中に描かれているように、死は死をもたらすものではありません。リジューの聖テレーズはいみじくもそのことを、「私は死ぬのではありません。命に入るのです」[72] と表現しました。死が呪い（知２・24）、また罪人の象徴となったのは悪魔の妬みによるもので、キリストは、その死を無垢の天上的な状態に返しました。彼は死を至福への入口、人が神の子となることのしるしとしたのです。[73]

70　J・ラッツィンガー『キリスト教の信仰、昨日と今日』（Paris,1985,p.253）「不死性は、分割できない存在は、当然死ぬことができないという理由のみに起因するものではない。それは私たちを愛し、私たちを救う力を持っておられるお方の救済的行為に由来するものである。」

71　この言葉は、時に言われているように、本来死に定められていた人間が、キリストを信じることによって不死性を獲得するという意味ではない。このような考え方は、初めの創造と終末的救済の秩序を不当に切り離し、区別するものである。確かに不死性の基はキリストであるが、人間はもともと、創造主によって、キリストの死と栄光に与るように招かれており、不死の者として創造された。

72　『書簡集』（注6参照）

73　第六章「死における神の子」参照。

第四章　最高の使徒職

「死ねば、多くの実を結ぶ」（ヨハ12・24）

一人の友人がいました。謙遜で、青年労働者たちの非常に偉大な使徒、ジョルジュ・ゲラン神父です。ある日、彼に「死のキリスト教的意味についての講話を準備している」と打ち明けたところ、彼は「それを急いで書いてください。私が死ぬ前に読めるように」と言いました。その講話は『過越の神秘、使徒職の源泉』というタイトルで出版されました。

二年後、「ゲラン神父が臨終だ」という知らせを受け取りました。私はすぐにパリに駆けつけました。病院で、彼のベッドの上には、手の届くところに、一冊の本が開いたまま、伏せて置いてありました。彼はか細い声で、その本を指差しながら「ごらん！」と言いました。私はタイトルを見てあの本だと分かりました。「見たよ！　あの本だね」と答えました。けれども彼はもう一度「ごらん！」と言いました。彼は私にその本を手に取って、ひっくり返してほしかったのです。見ると「最後の使徒職」の章が開かれていました。彼は、「私は死を逃したくない。それは青年労働者たちのための私の最後の使徒職となるだろう」と言いました。その二日後に、彼は最後の使徒職に入っていったのです。[74]

死を通して信者は救い主と合流しますが、彼は一人だけで救われるのでしょうか？　死においてキリストの贖罪の死にあずかる信者は、世の贖いに参与するのではないでしょうか？

イエスは「ご自分を死から救う力のある方に、祈りと願いとを捧げ、聞き入れられまし

74　葬儀ミサはパリのノートル・ダム大聖堂でささげられた。聖体拝領のとき一人の若い女性がマイクのところに来て「ゲラン神父の言葉！」と言った。会衆は「ゲラン神父の言葉」と答えた。聖体拝領は長く続いた。その若い女性は始終マイクのところに戻ってきて、「ゲラン神父の言葉」の一つを紹介した。会衆はそのたびに「ゲラン神父の言葉」と繰り返した。それらの言葉はすべて、最後の使徒職としての死に関するものであった。その中の一つの言葉が遺影に添えられている。「この人生においてすでに、キリストは私たちをご自分の救いのみ業にこれほど深く参与させてくださっているのだから、死んで彼のもっと近くにいて、もっと親密に結ばれ、もっと一体となるとき、私たちはより一層彼の救いのみ業に参与することができるであろう。」

た」（ヘブ5・7）。イエスは聞き入れられ、死から救われました。しかし彼が御父から来る救いの恩恵を被ったのは、すべての人のためです（ヘブ2・9）。「彼は聞き入れられ、……完全なものとされ、ご自分に従順であるすべての人々のために、永遠の救いの源となられた」（ヘブ5・7、9）。信者は、キリストと同じ死のうちに、キリストと共に死にます。このように、キリストの贖罪の死の中に引き込まれて死ぬことによって、彼は救われると同時に、キリストのように世の救いの神秘に参与します。

私たちは知っています。「だれ一人自分のために生きる人はなく、だれ一人自分のために死ぬ人もいない」（ロマ14・7）。なぜならキリスト者は、キリストのうちに生き、死ぬからで、キリストの生と死はすべての人のものだからです。キリスト者の人生が贖罪の愛であるなら、死はその愛の頂点であるのです。[75]

イエスは地に落ちた一粒の麦のように死に、復活して多くの実を結びました（ヨハ12・24）。彼は自分自身として復活しますが、同時に、救いの共同体として復活します。「主が……ご自分の血を与えられたのは、復活において獲得するもののためである。」「主が獲得するもの」

とは、聖アウグスティヌス[76]のテキストによれば、キリストの肉的な人性であり、同時に、キリストの体である教会です。イエスの死には驚くべき豊饒性があり、イエスのうちに満ち溢れる神性を宿らせる（コロ2・9）と同時に、大勢の人々を宿らせます。イエスは大勢の人々を復活させて、「ここに、私と、神が私に与えてくださった子らがいます」（ヘブ2・13）と言われます。

イエスは手足を釘付けにされ、力尽き果て、今や何もできません。ところがそのとき彼のためにすべてが成就します。弱さの極みで、彼は御父の無限に同意します。神の力は弱さの中で発揮されます（二コリ12・9）。その瞬間、御父は御子を充満のうちに、神の子としての充満のうちに、救いの使命の充満のうちに産むのです。「イエスはすべての人のために永遠の救いの源となられた」（ヘブ5・9）。

75　G・ベルナノス『カルメル会修道女の対話』（Paris,1949）p.79「だれも自分のために死ぬのではありません。私たちはお互いのために死ぬのです。」

76　『ヨハネ福音書講解』第八講解8（CCL36,84）

自分自身のことである一粒の麦の豊饒性について語ってから、イエスは続いて次のように言われます。「私のいるところに私に仕える者もいることになる。私に仕える者がいれば、父はその人を大切にしてくださる」（ヨハ12・26）。使徒は師に勝ることはなく、キリストが死なれたように、彼も死ななければなりません。しかし使徒は師に劣ることもなく、彼は主がおられるところにいることになります。そして御父はイエスを大切にされたように、彼をも大切にしてくださるでしょう。彼に実を結ばせてくださることによって。[77]すでにこの地上で、キリスト者は、キリストの死との交わりにおいて実を結ぶことができました。「こうして私たちのうちには死が働き、あなた方のうちには命が働いている」（二コリ4・12）。しかし今、彼はキリストとの十全な死の交わりの中に入ります。

たびたび人生が空虚で、忠実さの反映とされる使徒職の実り――「人が私につながっており、私もその人につながっていれば、その人は豊かに実を結ぶ」（ヨハ15・5）――が無に等しいもののように思われ、自分の忠実さに自信をなくす使徒がいます。しかし彼は自分の望みと期待をそっくり持ち続けることができます。使徒職は彼の前に開かれています。

彼の人生は「もっと偉大な業」（ヨハ14・12）を目指しています。真の可能性と真の仕事が彼を待ち受けています。イエスは言われました。「私について来なさい。人間をとる漁師にしよう」（マコ1・17）と。またペトロに、「あなたは私に従いなさい」と言って彼の殉教を予告されました（ヨハ21・22）。この地上では決してイエスに従いきることができませんでしたし、彼の贖罪の死に決して完全にあずかることもできませんでした。深いところからのエネルギーがまだ保留状態にあるので、使徒職の幅もほとんど広がりません。リジューの聖テレーズは自分の使徒職の望みの実現を見るために、死を熱く望んでいました。

77　ヨハ12・23以下によれば、イエスは死において多くの実を結ぶことによって栄光化される。24節（『まことに……一粒の麦は多くの実を結ぶだろう』）は、23節（『人の子が栄光を受けるときが来た』）を確証する。

「この二つのことの間で板挟みになっている……」（フィリ1・23）

神はご自分の聖書にまだ終止符を打っておられません。神は「インクではなく、生ける神の霊によって……心の中に」（二コリ3・3）書き続けられます。私たちの兄弟姉妹の心の中に、そしてとりわけ鮮やかに聖人たちの心の中に。

聖人たちの多くは、相反する二つの願望の間で引き裂かれて生きていました。「私にとって、生きるとはキリストであり、死ぬことは利益なのです。けれども、肉において生き続ければ、実り多い働きができ、どちらを選ぶべきか、私には分かりません。この二つのことの間で、板挟みの状態です。一方では、この世を去って、キリストと共にいたいと熱望しており、この方がはるかに望ましい。だが他方では、肉にとどまるほうが、あなたがたのためにもっと必要です」（フィリ1・21～24）。

この二つの願望はどちらも同じく真摯なもので、愛である聖霊によるものです。この世を去って、キリストと共にいて、彼を楽しむことがいかに望ましいとしても、キリストの業のために働きたいという意志のほうがもっと根強いのです。選択は「実り多い働き」のほうに傾きます。「兄弟たち、つまり肉による同胞のため」、もし必要なら、パウロは「キリストから離される」ことさえ受け入れるでしょう（ロマ9・3参照）。ところで、キリストのもとでの休息としての生とは何を意味するのでしょうか？　それはむしろ彼から離れて生きることではないでしょうか。なぜならイエスは、私たちの聖化、贖い（一コリ1・30）であって、世の救いのために常に働いておられるからです。聖パウロはこの世に留まることを選びます。

アビラの聖テレサはこの二つの願望にさいなまれていた聖なる人々を知っていました。「私を驚かせるのは、彼らは主を楽しむために死にたいという願望のために、あれほど悲嘆にくれていましたのに、それが今では主に奉仕し、主がたたえられるために、また、もしできれば人々の助けとなるために、もう死を望まないどころか、もしそれによって、主がたたえられることになるなら、あとまだ長い年月を、最も苦しい試練を忍びながら生きたいと望んでいることです……」[78]

リジューの聖テレーズは、「福音を世界の五大陸に宣べ伝えたい……宣教師になりたい、それも、この世の創造の初めから、世の終わりに至るまでそうでありたい」[79]と望んでいました。もしこれらの願望が実現しないなら、彼女は、この「殉教」、この「狂おしい望み」のうちに、天上でさえ決して味わえないほどの喜びを味わうことでしょう。[80]「もし天上で、もはや主の栄光のために働くことができないなら、天のふるさとに帰るよりも、島流しのままでいたいと思います。」[81]

シャルル・ド・フコーは主と共にいるために死にたいと熱心に願いますが、この世で主をたたえるという「さらに激しい願望」について語ります。

彼らは皆死にました。世の終わりまで働きたいと望んでいたリジューの聖テレーズは、人生の朝にその役務から引き抜かれました。「神さまは私を死なせます。こんなにも人々を救って差し上げたいと望んでおりますのに。」[82]二つの望みのうち、神は、小さいほうの望みしかかなえられないのでしょうか。ご自分の最良の信者たちに、物足りない思いをさせ、かなえられない望みにさいなまれるままにしておくことしかおできにならないのでしょうか。否、神は不可能なことを可能にするお方であり、両立しえないものを両立させることのできるお方です。「神さまは、私に何かを望ませるとき、必ずそれをくださいます。」[83]

残る解決はただ一つ、神が二つの願いを一度にかなえてくださることです。世を去ってキリストと共にいたいという願いと、この世にいつまでも留まって使徒職を果てしなく続

78　『霊魂の城』第七の住居3
79　『自叙伝』原稿B、第二部
80　同上
81　『書簡集』（Paris1973）p.952
82　『教訓と思い出』（Lisieux,1952）p.111 聖女はこの事実関係のうちに、自分の使命はこれから始まるのだということを理解する。
83　『自叙伝』、『最後の対話』

けたいという望み。神がこの二つの望みに応える手段は、彼らをキリストの死にあずからせ、その贖いの業に永遠に参与させることです。

神はイエスの地上の生涯のどんな業にも比べられない贖いを、イエスの死において成し遂げます。イエスは聖霊の命を与える無限の力に捉えられます。地に落ちた一粒の麦（ヨハ2・24）は、全世界の収穫のために、世界の中心に蒔かれた宇宙の種です。キリスト者の死における使徒職も同様で、地上でのどんな活動によってもかなえることのできなかった望みを満たすことができます。それ以前のすべてのことは無きに等しいものに思われるでしょう。「あなたは少しのものに忠実であったから、多くのものを任せよう」（マタ25・21、23）。全世界を贖うキリストの死のうちに、キリストとの完全な交わりの中に入るとき、突然、使徒職の可能性が驚異的に広がり、かつて知らなかったほどの効率が与えられます。それは自分を与えることの限界が大破する愛のとき、被造物が全能者にすべてを明け渡す無力さのとき、キリストが花嫁に自分の存在と行いのすべてを完全に分かち合うときです。

キリスト教には、物理的な世界においてと同じく、力が深さに正比例するという法則と、無限小が無限大に一致するという法則があります。現代人は、物質の深い、無限小の構造に入り込むことによって、化学あるいは物理の表面的な力とは比べものにならないエネルギーを爆発させることができます。同じ深さの法則が教会の命とその使徒職を支配しています。教会が自分の深みに降りて、愛の実践と祈りと謙遜な奉仕、そして死の中に自分の真実の姿を見いだすとき、教会は死のうちにおられるキリストと合流し、その復活と聖霊の宇宙的な力にあずかるのです。

「散らされている神の子らを一つに集めるために死ぬ」（ヨハ11・52）

イエスは、「すべての人を自分のもとへ引き寄せる」（ヨハ12・32）ために、「散らされている神の子らを一つに集める」（ヨハ11・52）ために、「万物を唯一の頭のもとに連れ戻す」（エフェ1・10）ために、死ななければなりませんでした。群れは屠られた小羊のもとに集まり、この牧者の後について行く（黙7・17）のです。

キリストは死によって万物をご自分のもとに集めることができただけでなく、死において彼は万物を引き寄せて一致させる世界の中心、万物集合の原因、場、絆です。

人類は時間と空間の中に散らされて生きています。死は突然やってきて、彼らを永遠に分散したままにしておくかのように見えます。しかし神は人類をキリストのうちに、キリストに向けて創造され（コロ1・16）、唯一の頭のもとに唯一の体となるようにと定められました（エフェ1・10）。しかも神がご自分の計画を成就することができるのは、彼らの死においてなのです。昨日死んだ人、今日死ぬ人、明日死ぬ人がいます。各自はその瞬間に人生の終点に達し、キリストは、ご自分の死の中で永遠の岸辺に立って彼らを迎え入れます。すべての人はこの全世界の集合地点で出会うのです。神は彼らを散らされていた場から連れ戻し、キリストとの交わりという唯一の場における一致へと連れ戻します。神は彼らを散らされていたあらゆる時代から連れ戻し、キリストの死の瞬間という、唯一の瞬間における一致へと連れ戻すのです。

イエスは彼らの死において、ただ自分一人で彼らと出会うために来られるのではありません。忠実な花婿として、教会をご自分のすべての業に参与させ、仲間はずれにはされません。教会は死にゆく人と出会うキリストの伴侶です。すでに地上の人生において、信者は、洗礼、聖体、その人生を通じて（二コリ4・10～12参照）、キリストとその死に結ばれ、キリストと人間との出会いに伴っていました。彼らの死は、その死におけるキリストとのつながりをいっそう確かなものとし、地上での使徒職の妨げとなっていたものから彼らを解放し、救い主と共に世界の中心に置かせます。キリストと共に、彼らは、その愛の豊かさに応じて、人々をその生と死において助けに来ることができます。

リジューの聖テレーズの例が理解を助けてくれます。彼女は何年かの間だけでなく、「世界の創造の初めから、世の終わりまで」使徒であることを望みました。それは不可能を可能にする神が彼女に吹き込んだ「無限の望み」の一つで、神はこれをかなえることがおできになります。神が吹き込んだ望みは、神によってかなえられると考えることはできないでしょうか？　地上でできることは限られていますが、テレーズは死においてキリストに、すなわち、栄光化されたその死において、すべての人の救いのために、世界の中心に、そしてあらゆる時代の合流点に位置しておられるキリストに結ばれることができました。

もし教会が、死にゆく信者において、その死のうちにある人々を助けに来ることができないなら、キリストとの最大の親密さ（ヨハ15・5）のうちにあって、豊かな実りを約束されたその瞬間に、実を結ぶことをやめてしまうでしょうし、教会の兄弟愛は、その完成を見いだすはずのその瞬間に、実践されなくなるでしょう。そうして教会は、人々が教会の助けを最も必要としているその瞬間に、人々の苦闘を前にして傍観者として留まってしまうことになるのです。この最後の使徒職がなければ、教会は、その母性のあらゆる条件が求められるべきその瞬間に、人々が決定的に生まれなければならないその瞬間に、母であることをやめてしまうことになるでしょう。

子供たちに、自分たちが最も大切にしていること、すなわち信仰と教会に対する忠実さを伝えることができなかったことを悲しみ、心を悩ませる親たちがいます。「私たちはどうすればよかったのでしょうか？」と彼らは尋ねます。彼らがしなければならないことが一つ残っています。信仰のうちに、愛をもって子供たちのために死ぬことです。彼らはキリストとの死の交わりのうちに、散らされた神の子ら、彼らの子供たちが一つに集められることを希望することができます。[84]

「主人は彼に全財産を管理させる」（マタ24・47）

したがって、信者が死を迎えるのは、その苦しい闘いから身を引くことではありません。イエスの死は、救いの業が成就した後でやってきたのではありません。救いの業は、死の最中に成就し、そこにおいてイエスは栄光を受けられました。イエスはその死のうちに活

84　G・ベルナノス『カルメル会修道女の対話』（Paris1949）p.62「今私が与えることができるのは、私の死、ひどく惨めな私の死だけです。」

動をやめて休息されるのではなく、「多くの実を結ぶ」のです。ヘブライ人への手紙が、神の右の座における休息と呼んでいるものは、完全な活動のことです。地上で働くことが疲れさせ、動くことが苦痛をもたらすのは、私たちが完全に活動していないからです。私たちの休息は、神の休息と同じく、完全な活動の中にあります。「私の父は今もなお働いておられる。だから私も働くのだ」（ヨハ５・17）。

御父に向かって去って行くイエスは、弟子たちから離れるのではありません。「私は去って行くが、また、あなたがたのところへ戻って来る」（ヨハ14・28）、「私はあなたがたと共にいる」（マタ28・20）とイエスは言われました。彼はその生涯の初めから、「父から聖別されて世に遣わされた者」（ヨハ10・36）です。その死において、彼の聖別奉献は完成し（ヨハ17・19）、派遣は完全なものとなりました。「主に結ばれて死ぬ人々」（黙14・13）は、イエスにおいて奉献され、イエスと共に派遣されます。なぜなら「私たちも、イエスのようである」（一ヨハ４・17）からです。愛の極みにおいて聖人たちの心は、神に集中しながら地上に向けられています。

リジューの聖テレーズは、「あなたは私たちを天の高みから眺めるのでしょう？」と聞かれたとき、「いいえ、私は降りてきます」[85]と答えました。夜中に喀血した彼女は、翌朝次のように言います。「私の使命は始まろうとしています……神さまが私の願いをかなえてくださるなら、私の天国は、世の終わりまで、地上で過ごすことになるでしょう。」[86]

主人は帰ってくると、忠実だったと見られた僕に「全財産を管理させ」（マタ24・47）ます。地上でなされた奉仕は、今任せられた仕事に比べると無に等しいものでした。「忠実な良い僕だ。よくやった。お前は少しのものに忠実であったから、多くのものを管理させよう。主人と一緒に喜んでくれ」（マタ25・21、23）。ルカが記すたとえ話の中で忠実な僕は、主人が帰ってきたとき、五つあるいは十の町の支配を任せられます（ルカ19・17〜19）。これらのテ

85　『最後の対話』p.256

86　同上「聖人たちが私を励まして……『死んでからが、あなたの仕事のとき、あなたの征服のときなのです』と言われます。」

キストをキリストの支配への活動的な参与と解釈するのは、行き過ぎでしょうか？[87] 僕は主人の喜びの中に入ると同時に、彼の活動の中にも入るのです。[88]

すでにこの地上から、キリスト者は他者のうちに命を呼び起こす貢献をしています。なぜなら私たちは、「（聖霊のうちに）互いに結ばれて」おり、互いのために生き、互いによって生きているからです。[89]「私に与えられた神の恵みは無駄にならなかった」（一コリ15・10）とパウロは断言します。「キリスト・イエスにおいて私はあなたがたを産んだ」（一コリ４・15）、「私の子供たち、私はもう一度あなたがたを産もうと苦しんでいます」（ガラ４・19）。パウロがキリストのうちに受け入れられるのは、彼自身のためであると同時に、他の人々のためでもあります。「死は私たちのうちに働き、命はあなたがたのうちに働いている」（二コリ４・10）。キリストのうちにあって、信者は彼なりの仕方で、「命を与える霊」（一コリ15・45）となり、自分自身を聖化する恵みの湧出力によって、他者のための泉となるのです。

地上では、聖徒の交わりの効果には限界があります。恵みが最大限に発揮されることはありません。死において、その望みの大きさに応じ、愛のために時間と空間を超える道が開かれます。地上では考えられないような交わりを聖霊が実現なさいます。またリジューの聖テレーズの引用になりますが、この真理と愛において感嘆すべき人は、死の少し前に、次のように書いています。「兄上様、もうすぐ私はあなたのおそばに参ります。」[90] 次は、彼女が来るのをまだ待っていたサイゴンのカルメル会のことを話していたときの言葉です。「すぐに行きますとも、私がどれほど早く旅をするかお知りになったら……」[91]

87　エルサレム・バイブルのマタ25・21の注釈に従えば、この解釈は正統である。キリストの支配への参与は、マタ19・28においても約束されている。
88　『教会憲章』49「天の住人はより密接にキリストに結ばれているので、全教会を聖性の中により強く固める。」
89　同上。聖徒の交わりについて、詳しくは拙著『神の聖霊』p.90-97,141-144を参照。
90　『書簡集』t.II（Paris,1973）p.1028
91　『最後の対話』p.353

「その日には、……願いなさい。
そうすれば与えられ、あなたがたは喜びで満たされる」（ヨハ16・24）

祈るべき日、そして、それが聞き入れられる日とは、イエスの過越の日です。その祈りは、御父の方へ絶え間なく立ち昇っていましたが、御父への道を登りつめ、御父との完全な出会いの中で聞き入れられます。以後、彼は自分の望みの頂点で、聞き入れられながら留まり、「私たちのために神のみ前に現存しておられます。」[92] 彼は祈りそのもの、永遠に聞き入れられる祈りそのものです。

教会はこの生きた祈りのうちに入り、そこに留まるように招かれています。使徒言行録には「ペトロとヨハネが、第九時（午後三時）の祈りの時に神殿に上って行った」（3・1）と記されています。それはユダヤ人の公の祈りの時刻でした。キリスト者は、祈るたびに自分の神殿に入ります。すなわち、新しい契約の神殿となった（ヨハ2・19〜21参照）キリストのうちで祈ります。信者は第九時の祈りのために この神殿に入ります。第九時の祈りは、第九時に死んで（マコ15・34並行個所）、その死において栄光を受けられたイエスご自身です。イエスは彼らの神殿であると同時に彼らの祈りなのです。

死によって、キリスト者は永遠にこの神殿の中に入り、キリストと共に、祈りそのものとなります。死は最高の祈りです。祈りは「神への霊の上昇」[93]と定義されています。この定義は、地上での可能性を超えた天において実証されます。聖徒たちは、霊においてだけでなく、全存在をもって神に向かって生き、「御父のもとで、私たちのために絶え間なく執り成している」[94]のです。

92　ヘブ9・24、7・25、ロマ8・34参照
93　ダマスコの聖ヨハネ『正統信仰について』III,24（PG94,1089）
94　『教会憲章』49は、聖徒たちが地上で獲得した功徳の永遠の奉献について語っている。これは一種の比喩的な表現で、功徳は人が捧げることができるようなものではない。人は死において自分が達した功徳の段階、すなわち、自分の願望の頂点、神の賜物に対してなされた受容の中に永遠に留まる。こうして彼は神の面前で祈りとなる。

彼らは、その永遠の祈りにおいて、人々が救われ、神がたたえられること以外に、何を願うことができるのでしょうか？ すでに地上において、彼らは愛のうちに祈り、自分一人で救われることは望まないと明言していました。自分自身の救いが確実となった今、彼らはひたすら他の人々の救いを望みます。彼らはキリストの絶え間ない執り成し（ヘブ７・25）に参与します。「彼らは喜びで満たされる」、なぜならその望みが聞き入れられるから（ヨハ16・24参照）です。神が彼らの喜びなのです。なぜなら神は、彼らが救いを願っている人々の救い主でもあるのです。[95]

したがって「七日目の安息」（ヘブ４章）は、信者にとっても、キリストと同じように活動の充満となるでしょう。それが神の安息と呼ばれるものです。祈りも、功徳も、その頂点ではもはや増大せず、消失します。キリストにおいて、聖徒は永遠に祈り、他の人々の救いのために絶え間なく、しかも彼らが地上では決して達することのできなかった高い度合いで功徳を積みます。働き、祈り、苦しみ、そして彼らの純粋で、苦い喜びであったすべてのことは、死を通して、すなわち、それらを統合し、それらを超越する死を通して、永遠の中に入るのです。

信者は死の瞬間に、神に与える受容に応じて満たされます。したがって彼の功徳はもはや増大しません。けれども一つの増大の可能性は残されているのではないでしょうか。各自の功徳と幸福は他の人々の上に延長されて増大します。復活においてイエスは、満ち溢れる神性で余すところなく満たされ（コロ2・9）ました。そこには何も付け加えることはできません。しかしそれでもキリストは増大を経験します。その充満は、自分の中に人類を引き入れることによって、人類の上に延長されます。その度合いは比較にならないとしても、同じことが信者についても言えるのではないでしょうか。彼らの幸福は完全ですが、彼らが自分の幸福の中に引き入れた他の人々の幸福によって増大します。愛は自分の喜び

95　聖トマス・アクィナス『神学大全』Ia IIae,q.114,a.6「恵みの状態にある人は神の望みを行うので、神が他の人の救いを願うこの人の望みを、その愛の度合いに応じてかなえるのは相応しいことである。」
十字架の聖ヨハネ『霊の賛歌』1・3「神は愛されるとき、ご自分を愛する人の望みを喜んで聞き入れてくださる。」

を分かち合うことを喜びとするのです。

第五章　死への旅立ち

「私は日々死んでいる」（一コリ15・31）

死はあまりにも重大な出来事ですから、人生を愛し、耕し、意欲的に、熱心に開拓しなければなりません。こうして死は完全にキリスト教的に、つまり幅広く、実り豊かなものとなるでしょう。死とは頂点に達した人生のことだからです。特別に恵まれた人々の場合は、成熟の段階を一挙に飛び越え、早熟した聖性の実りを結ぶこともあります。[96]けれども良い実は通常、遅々とした四季の巡りの中で、忍耐のうちに熟するものです。それゆえ、人生は、良い死として結実するために、決して長すぎるということはありません。

死の準備をするために、今からすぐ死を生き始めなければなりません。なぜなら「死はやって来るものではなく、ここにすでに、中心にある」[97]のですから。聖パウロは、「あなた方は死んだのだ」（コロ３・３）と、そして「私は日々死んでいる」（一コリ15・31）と言います。

キリスト者は死を、同時に進行し、かつ逆行する二つの動きの中で生きています。私たちの人生は終わりに向かって繰り広げられて行くと同時に、始まりに向かって巻き込まれて行きます。一方では老化の坂を下り、信仰、希望、愛によって、内的に剥奪された状態に向かって行きます。あたかも、復活の命を迎えるための墓穴が、内面に穿《うが》たれなければならないかのように。他方で、人は御子との交わりに呼ばれています（コロ1・9参照）。神はこの御子を復活させて「今日私はあなたを産んだ」（使13・33）と言われます。人は永遠の誕生に向かって老いていきます。上げ潮も引き潮も同じ一つの動きです。目に見える住まいが次第に破壊されていくとき、天の住まいが建てられていきます。「たとえ私たちの外なる人は衰えていくとしても、私たちの内なる人は日々新たにされていきます」（二コリ4・16）。その死が始まりであるキリストのうちに。

こうして死から命への過越の神秘は、地上の人生の中に注入され、日々の生活の中で控

96　知4・13「彼は短い間に完成され、長寿を満たした。」
97　ピエール・エンマニュエル『人間の顔』（Paris,1965）p.255

え目に語りかけてきます。「私たちはいつもイエスの死を体にまとっています。イエスの命がこの体に現れるために」（二コリ4・10）。

それゆえ自分が死ぬはずの死を急いで生きなければなりません。洗礼はこの要請をキリスト者の生活の中に刻み込みます。秘跡によって始められた死を、生活によって全うしなければなりません。「あなたがたは死んだ……だから地上的なものを捨て去りなさい」（コロ3・3、5）。

信仰は、過越の、すなわち、この世から御父のもとへの移行の第一の徳です。つまり、自分のうちに、また地上の人生のうちに閉じこもる人間を外に引き出す基本的な動きです。人は、信仰によってキリスト者となりますが、キリストとの死の交わりによって（ロマ6・3）もキリスト者となります。パウロは信仰によってキリストの死と結ばれていることを知っていました（フィリ3・7～10）。殉教者の死は、キリスト者の死の模範ですが、最も雄弁な信仰の行為であると考えられてきました。[98] アンティオキアの聖イグナツィウスは、まことの信者となるために死を熱望していました。[99] 信仰の恵みを通して神は人をキリストに向けて引き寄せます（ヨハ6・44）が、死においても同じ引力を及ぼします。

人は**愛することによって**死を準備します。「人生の日々、死に挑む唯一の方法は、愛することだ。」[100] 愛することによってこそ、人は愛である神に向かって死ぬことができます。イエスがこの世から御父のもとへと移ったのは、極みまで愛しながらでした（ヨハ13・1参照）。真の愛の行いをするごとに、死は私たちのうちに働きます。なぜなら、愛するとは、自分に死ぬことだからです。永遠の命は、聖霊の愛の形をとって私たちの地上の時間の中に滑り込んできます。愛によって時間が永遠の中に大破するその日まで。

キリスト者は**希望します**。その希望は、「垂れ幕の向こう、天の聖所の中に降ろされた

98　リジューの聖テレーズは信仰の長い暗夜を体験した。このことによって彼女の殉教への望みがかなえられたのである。

99　Rom 3・2、4・2、Sources Chr.10,129.

100　G・セスブロン『死を正面から見つめること』（Paris,1982）p.27

魂の錨のようなもの」（ヘブ6・19参照）です。希望は望みであると同時に、確信です。信仰と愛によって信者はキリストに結ばれます（一コリ1・30）。彼の本国はすでに天にあります。この御国への最初の入国は、信者のうちに全く御国に属するものとなるという望みを目覚めさせ、そこに到達できるという確信を与えます。こうして彼のうちにイエスの過越が準備されます。イエスの過越が、彼を捉えていた途方もなく大きな望みによって準備されてきたように（ルカ22・15）。ルカによれば、イエスはずっと以前から、「自分の過越を成就する」（ルカ9・31参照）ためにエルサレムに上ることを決意していました。[101]「私が来たのは、地上に火を投ずるためである。その火がすでに燃えていたらと、どんなに願っていることか。しかし、私には受けねばならない洗礼がある。それが終わるまで私はどんなに苦しむことだろう」（ルカ12・49〜50）。キリスト者とは望みの人のことです。イエスをこの世から御父のもとへと導いた聖霊が、信者の中に望みという形で現れるのです。

　ある日、私は死に瀕している女性と話していました。彼女は、教会への奉仕のため、非常に活動的な人生を送ってきた人でしたが、徐々に全身が麻痺する病に冒されてしまっていました。おかしなことですが、私は全身麻痺状態の彼女に、「望まなければなりません。働きたい、愛したいと。途方もなく望まなければなりません」と言ったのです。ところが彼女は「限りなく」と一息に答えました。彼女は限りなく望んでいたのです。彼女には見えていたのでしょう。無限の地平が自分の前に開かれつつあるのを。

エルサレムへ上るイエスの長い旅について語るルカは、イエスの**祈り**の福音記者でもあります。イエスは祈りによって、絶え間なく御父のもとへと昇っておられました。祈りこそ、イエスの死の意味を表現するものです。「父よ、私の霊をあなたのみ手に委ねます」（ルカ23・46）。祈りは神の賜物を願い、受け入れます。祈りは死の日常的な体験です。キリスト者は祈りの中で行うことを死においても行うでしょう。つまり、全存在が完全に聞き入れられた祈りとなるのです。

101　ルカ9・51、53、13・22、17・11、18・31

死は人間からすべての所有を剥奪します。なぜなら所有は存在を狭小化し、自分自身の中に閉じ込めようとするからです。荷物を背負い込んだ人は、御国の狭い門を通ることができません。だから今すぐに、心を所有から引き離さなければなりません。「清い心の人々は幸いである。彼らは神を見るだろう」（マタ５・８）。清い心とは、存在と所有とが混合していない状態、一途に自分を与える心です。その時が来れば、彼らは地上の命という最後の所有を手放すことができるでしょう。そして自分を委ねた主によってのみ生きることを受け入れることができるでしょう。

死に直面してキリスト者が不安を抱かないわけではありません。彼は自分の弱さを知っています。そして誘惑がどれほど恐ろしいものになりうるか、時には信仰を失わせ、時には絶望に陥れ、神に背く危険となるかも知っています。しかしそうした危険の前にキリスト者は、震えるどころか、自分の弱さを喜ぶことができます。それは父である神が、自分のうちに始められた業を力強く完成してくださる（一コリ１・８）ということ、そしてその力は弱さのうちに発揮される（二コリ12・９）ということを確信しているからです。自分の罪を見ても、彼は「主よ、私から離れてください。私は罪深い者なのです」（ルカ5・8）とは言いません。なぜならイエスは罪人のために来られたから（ルカ5・32）です。キリスト者はキリストと共に、あらかじめ御父のみ手に自分を委ね（ルカ23・46）ます。途方もなく大きな愛に自分を委ね、櫂《かい》も舵《かじ》もない小舟のように、神の川の流れのままに流されます。神がお望みのままにしてくださいますように！　神は人間を愛したいのです。こうして自分を委ねることによって、人は自我を捨て、自己統一に至り、その深みから神に向かって「私はあなたを愛します」と言うようになります。

最後に、もしキリスト者が、死において世の贖いの神秘の中に受け取られることが事実であるとするなら、[102] **他の人々の救いのために働くこと**は、非常に優れた死の準備であると考えられます。

102　本書第四章参照。

死が真夜中に盗人のように来るとき、「あなたがたは驚いてはならない、なぜならあなたがたは暗闇の中にいるのではなく、光の子らだから」（一テサ５・２〜５）とパウロは言います。

死の旅路の糧

教会は死にゆく人に、最後の旅路の糧、聖体を与えます。

聖体はキリスト者の死の秘跡です。それは最後のときにおいてだけでなく、生涯を通じてそうなのです。聖体は死を告げ知らせ、死を準備し、死の経験をさせる秘跡です。すべての聖体祭儀において「私は日々死んでいる」（一コリ15・31参照）という言葉が実証されます。「このパンを食べ、この杯から飲むたびに、私たちは主の死を宣言する」（一コリ11・26）。主の死と共に私たちの死を宣言します。

劇団は、部分的なリハーサルから始めて、観客の前で演じられるとおりに劇全体のリハーサルをします。聖体祭儀は死という大芝居の全体的なリハーサル、予行練習であって、死を先取りするものです。キリスト者は、聖体祭儀に倣って死ぬのです。聖体におけるキリストとの出会いは現実であり、彼との死の交わりも現実です——「これは**渡された**私の体である。」聖体は最後の出会いを告知するもので、信者は聖体において、死のうちにあるキリストとの十全な交わりに入ります。聖体において信者はキリストを着る——洗礼のときに着始め（ガラ3・27）、死のときに完全に着ることになります（二コリ5・1～5参照）。聖体においても、死においても、信者は主と共にいます（一テサ4・17参照）が、それはただ主のそばにいるということではなく、同じ死を分かち合いながら、互いに相手のうちに住むことによります（ヨハ6・56参照）。聖体祭儀が教会において挙行されるように、信者は、教会の息子、娘として死ぬのです。聖体祭儀は婚礼であり、最後の日に挙行される小羊の婚礼（黙19・7参照）を告知します。[103]

103　アビラの聖テレサの死はその典型である。そこには聖体のイエスとの恍惚とさせる出会い、主との婚姻の喜び、「教会の娘として死ぬ」ことの幸福が揃っている。

初期のキリスト者たちは、殉教者たちを、聖体祭儀の最も真実な挙行者と見なしていました。アンティオキアの聖イグナツィウスは自分の殉教を語る際に、聖体をイメージしています。[104] 聖ポリカルポスは、火刑台に上る前、即興的に、聖体的な祈りを作りました。[105] また聖アンブロジウスは、祭壇の下でその遺物が見つかった殉教者たちのために、自分がそこに葬られるという名誉を放棄しました。「その場所は、彼らのものだ。栄光のいけにえは、キリストがご自分をいけにえとして捧げられる場に留まらなければならない」[106]と彼は書いています。フランス革命のときに殉教した司祭ノエル・ピノは、そこで最後のミサを捧げるために、祭服を着て断頭台に上りたいと願いました。殉教は、聖体において成就される神秘の荘厳な行いなのです。

殉教はキリスト者の死の模範、すべてのキリスト者の死の鮮明な象徴、「一般的なキリスト者の死の完全で明白な表現」[107]です。

兄弟の死に寄り添うこと

私たちは皆、途上にいます。ところが、一人の兄弟、一人の姉妹が、群れを離れて歩みを速めます。まもなく彼らは目的地にたどり着くでしょう。私たちはできるかぎりのことをして、彼らの最後の旅路に寄り添う者とならなければなりません。すべての人は生きてゆくために他の人を必要としますが、平和のうちに死ぬためにはなおさらそうです。

104　『ローマ人への手紙』4・3、Sources Chr.10,131,139.

105　『ポリカルポの殉教』14、Sources Chr.10,262.

106　『第二書簡』13 PL16,1023.

107　カール・ラーナー Lexikon f.Theol.u.Kirche,7.2eed.p.137『殉教について』Ecrits theologiques,T.3.Paris, 1963,p.171-203.

死にゆく人は、未知の旅路に乗り出します。それは今まで決してなかった経験で、恐れが彼を捉えます。幻影が彼を取り囲み、彼のうちに残っている生命力が死に抵抗します。無に向かって行くような印象が、神さえも現実性を失うように思わせます。「どうして私を見捨てられたのか？」敵の力の脅威を感じることもありえます。その顔は見えませんが、その冷たい存在感が孤独を倍加させます。それはこの世の君（ヨハ12・31）、初めからの人殺し（ヨハ８・44）、死をつかさどる者（ヘブ２・24）であって、その不透明な神秘の正体は、交わりの拒絶です。死が罪の結果となったのは彼の妬み（知２・24）のためです。敵は今、最後の努力をします。人間の死の創造的な意味をゆがめ、創造を無に帰するために。

死にゆく人は、私たちと共にいたいと願いながらも、死に向かって遠のいて行きます。ゲツセマネでイエスが弟子たちと共にいたいと願いながらも、離れたところで祈られたように（マコ14・32〜41）。確かに彼は、目には見えないが、道であるお方（ヨハ14・６）に伴われています。しかし目に見え、感じることのできる現存は、彼の大きな慰めとなるでしょう。私はその手を握ります。私は自分にできる最後の奉仕をします。心の中で祈るだけでなく、時には、大きな声を出して祈ります。その人が、そばで祈る声を聞くのが好きだと知っているからです。自分が愛されていることを知ることによって、その人は死と和解し、境界線を飛び越えるための最後の愛の行為を準備することができるのです。

次いで荘厳な瞬間、比類のない歴史的瞬間が来ます。世界中で絶え間なく繰り返されているにもかかわらず、他のどんな出来事もこれと比べることはできません。ヤコブの梯子が天と地の間に架かり、私の兄弟は死に、燃える柴が私の前で燃え上がり、神とその被造物が抱き合い、被造界はこの人において燃焼します。

ある夜、私は死にゆく人に付き添っていました。早朝、彼は死のうちに運ばれていきました。病院を出るとき、私は彼に兄弟として十分なことをしてやれなかったという思いに苦しんでいました。それは日曜日でした。町の人々はミサに出掛けるところでした。私は思いました。「私は死の途上で彼をよく助けることができなかったが、聖体祭儀を通して、キリストは私が、死の中で彼のそばにいることができるようにしてくださるだろう」と。

死の中で兄弟のそばにいること、死という境界さえも飛び越えて助けをもたらすこと、この一見実現不可能に見えることが、主との交わりの中で可能となります。イエスは神と人の仲介者であると同時に人と人の仲介者でもあります。キリストは、死の交わりの中で、死者と出会います。聖体祭儀を通して、後に残された人々はその死においてキリストと交わり、こうしてキリストに結ばれて、死者との出会いに赴くことができるのです。神秘的に。

教会は、人々と出会いに来られるキリストの伴侶、救いの普遍的秘跡[108]として、永遠の命に直面する人々が、正しい選択ができるように助ける使命をもっています。さて今や、決定的瞬間、最後の選択の時、死の瞬間です。教会はその義務でもあるこの特権を行使し、愛と祈りの中で、人々をその死において救うことを望んでおられるキリストのそばに留まらなければなりません。

家族、友人が葬儀のミサのために集まりました。それは十字架のしるしを彼らの上に描くことから始まります。それは死のうちにあるキリストのしるし、彼を復活させる御父のしるし、イエスがその方のうちに死に、復活する聖霊のしるしです。会衆はその秘跡である聖体祭儀を通して過越の神秘の中に入って行きます。死んだ兄弟は他の人々に先立って逝き、過越のうちにあるキリストに結ばれました。聖体祭儀の恵みによって、家族、友人は彼に合流します。

彼が死んだのは数日前のことですが、信者の祈りが彼に届くのは彼の死においてです。祈りが遅れることはありません。なぜなら聖体祭儀において彼らを集めるキリストは、過越の永遠の神秘におけるキリスト、人々の死の中で、彼らに出会うキリストですから。聖体祭儀によって信者は栄光の死のうちにあるキリスト、すなわち、人々の死の中において人々と出会われるキリストと一致します。したがって私たちの兄弟は彼の死の中で一人きりで見捨てられているのではありません。彼はキリストと、そして秘跡によってキリストと結ばれた人々に取り囲まれ、支えられて死ぬのです。葬

108　『教会憲章』1、9、48　『現代世界憲章』45

儀ミサは、共同司式です。死んだ兄弟と共に、死んだ兄弟のために、私たちはキリストの過越にあずかる[109]のです。

私たちに先立って逝った兄弟たちは、以後、「垂れ幕の向こうで」、聖体の秘跡である過越の神秘を祝います。[110]第二バチカン公会議は、聖体祭儀のうちに「天の宴の先取り」[111]を見ています。アンティオキアの聖イグナツィウスは永遠のエウカリスティアとして、殉教を熱望していました。「私が欲しいのは神のパン、すなわちダビデの子孫、キリスト・イエスの肉であり、私が飲みたいのは彼の血、朽ちることのない愛である彼の血です。」[112]御父はご自分の子らを食卓に着かせ、彼らのために準備したパンと杯を彼らに与えます。それは御父が彼らのために世に産み与えた御子です。死者たちはその食卓の第一の会食者で、私たちは、聖体祭儀を通して彼らに結ばれます。かつては、多くの地方で、死者は教会の周囲に葬られました。[113]なぜなら彼らは聖体祭儀において祝われる過越の神秘を囲み続けているからです。そして目に見えることとは反対に、死者たちは、この祝宴の最も内側に輪をなしており、地上の教会は、まだ自分自身の神秘の周辺で部分的に生きています。

109 教会は、特にエウカリスティアの祭儀を通して、私たちは死者に助けをもたらすことができると教えている（トレント公会議文書 DS1820 参照）。ところで葬儀ミサは、死後にしか行われないので、死そのものが清めであるという意見は、この教えに反するように見えるかもしれない。この困難を解決するために、次のような説明が考えられた。つまり神の目には、彼の死とその後に行われるミサは同時に現前するものなので、神は死においてすでにその後で捧げられる祈りを聞き入れられるのだ、と。この説明は哲学的には有効であるが、キリストの仲介と、信者をキリストと―その栄光の死のうちに―一致させるエウカリスティアの役割を考慮していない。本当の説明はキリスト、そして聖徒の交わりの中にある。清めの坩堝の中で、死者はもはや時間の中にはいないが、信者はまだ時間の中にいる。そのため、必要な助けを死者にもたらすために、信者は、数日、数週間、あるいはおそらくもっと多くの時間を必要とする。

110 トレント公会議 DS1649。信者は「垂れ幕の向こうで、味わうことになる天使のパンを、今、秘跡の覆いを通して食するのである。」

111 『現代世界憲章』38

112 『ローマ人への手紙』7・3、Sources Chr.10,137.

113 そこから、多くの国で墓地を表す言葉ができた。Churchyard, kerkhof, Kirchhof は、いずれも、教会の（中）庭の意味である。

このように聖体祭儀は、死者との再会の秘跡です。私たちは同じ食卓に着きますが、私たちは影の中に、彼らは光の中にいます。教会は自分が「終生おとめであり、神の母であるいとも幸いなマリア、主イエス・キリスト、……そしてすべての聖人」[114]との交わりの中にいることを知っています。イエスはその出会いの約束の場です。「日曜日、教会で、ミサの間に、会衆の中に死んだ人たちを見つけても、私は震えもしないだろう」（G・セスブロン）。

しかし彼らは相変わらず目には見えません。彼らは御父の家に、私たちはその途上にいます。窓越しに、人は通りにいる人々を、彼らには気付かれないで見ることができます。私たちが死者のために聖体祭儀を捧げるとき、私たちは彼らから愛を込めて眺められています。しかし私たちの目は、永遠の住まいにいる彼らを見通すことはできません。かつて彼らが私たちと共にいたところに、彼らはもういません。けれども今私たちがいるところには彼らもいるのです。なぜなら私たちは皆キリストのうちにいるからです。

141　兄弟の死に寄り添うこと

114　第一奉献文

『教会憲章』50「教会は彼らがキリストにおいて私たちとより堅く結ばれていると常に信じてきた。」

第六章　神と死

神は人が死ぬことを望まれたのか？

この問いに対しては知恵の書が第一の答えをもたらしてくれます。「死がこの世に入ったのは悪魔の妬みによる」（知2・24）。これは明らかに創世記の記事を暗示しています。悪魔にそそのかされたアダムは次のような宣告を受けます。「あなたは死ぬ」（創2・17）、「あなたは塵だから塵に返らなければならない」（創3・19）。聖パウロは「一人の人によって罪がこの世に入り、罪によって死が入った」（ロマ5・12）と記しています。

だが同じく知恵の書によれば、義人の死は有罪の判決の結果ではありません。「悪魔の仲間に属する者が死を味わう」（2・24）のであって、義人の死には「不滅への大いなる希望」（3・4）があります。確かに、罪を犯さなかったなら、人間は奇跡的に死から守られたであろうとは、聖書のどこにも書いていないようです。聖書はむしろその反対のことを教えています。すなわち、死は「いと高き方のみ旨」（シラ41・4）に合致するもので、創造主の計画の一部をなすものである、[115]と。死は地上の生を終わらせ、永遠の命に入らせるという二重の結果をもたらします。罪はこの永遠の命を拒絶し、人間をその無力さのうちに閉じ込め、死を有罪の判決、そこから何も始まらない終わりとします。

確かに聖パウロは、死は罪という裂け目からこの世に入ったと明言しています（ロマ5・12）。しかし彼はまた、キリストによって与えられる恵みの賜物は、罪によって引き起こされた害悪をはるかに超えると断言します（ロマ5・15〜17）。「従って今やキリスト・イエスに結ばれている者は、罪に定められることはありません。キリスト・イエスによって命をもたらす霊の法則が、罪と死の法則からあなたを解放したからです」（ロマ8・1〜2）。ところで、有罪の判決が取り消され、すべてを償うはるかに大きな恵みが与えられたとしても、キリスト者は相変わらず死に服したままです。けれどもその死はもはや彼にとって有罪の

115　創2・17と3・19が、堕罪以前のアダムに不死の命が与えられていたことを意味するとすれば、創3・14は、人を誘惑する前の蛇には足があり、蛇ではなかったことを意味することになる。現実には、這うことは蛇にとって、呪われたもののしるしである。罪人アダムにとって、死はまことに目に見えるとおりのもの、つまり、罪によって失われた命の終わりであり、そのしるしである。

判決の結果ではありません。使徒はそれを恵みとして望みさえしています。[116] 教会は死を誕生の日、神がその子らの創造を完成する日として考えます。罪の裂け目から入り込んだ死は、罪のうちにある人間の死です。

苦しんでいる人、あるいは突然、死に見舞われた人を前にしても、「そんなことになるとは、いったい彼はどんな悪いことをしたのだろうか」と問うべきではありません。なぜなら「今やキリスト・イエスに結ばれている者は、罪に定められることはない」（ロマ８・１）からです。地上に残された友人たちは、愛する人を失って心を引き裂かれますが、それでも彼らはひそかな喜びを心の中に保つことができます。「私を愛するなら、私が父のもとに行くのを喜んでくれるはずだ」（ヨハ14・28）。死者との別れを苦しいものとする愛そのものが、涙のうちに静かな喜びに招きます。

イエス、死のうちにある神の子

イエスは人々の死を救うことによって、人々を救い、人生に意味を与えます。彼に従う者たちにとって、死はもはや人類を震え上がらせる黒い太陽ではありません。キリストにおいて死は、典礼の中で語られる「いとも幸いな苦難」[117]となりました。それは崇められ、愛されるに値するものです。この世にキリストより偉大なものはなく、キリストにおいてはその死より偉大なものはありません。キリストの死は、彼が神の子であることを表すサインです。

このような言葉は常軌を逸しているように聞こえるかもしれません。聖パウロは「十字架の言葉は狂気である」（一コリ1・18、23）と自認しています。受肉の神秘は理性に投げか

116　二コリ5・8、フィリ1・21〜23
117　第一奉献文

けられた挑戦で、死は受肉の神秘の究極の深みです。神の御子は神から最も遠いその深みに降りて行きます。存在そのものである方が、非存在そのものである被造物の死の中で彼らと同化し、彼らをご自分にまで引き上げます。

死においてキリストは、神の子としての永遠の真実に反するものではないどころか、死はそれを明らかにします。なぜなら永遠の栄光のうちに、御子は御父のもとから出て、最も遠いところへ完全な人間性をもって降り、そこで完全に自分を受け取りながら、神の子として**存在する**からで、一方、御父は父として、御子を終わりなく産みながら**存在する**からです。また同時に御子は御父と一つとなるまでに、御父に向かって進むからです。イエスの死とはそのようなものです。それは、御父から出て御父へと向かう永遠の神の子が、人間性をもって生きた神秘です。

御父のもとから出るイエス[118]は、御父によって産み出されます。イエスは自分の全存在を御父から受け取ります。イエスはその存在、行為、言葉を、彼を産む御父から受けています。[119]人としての生涯と自由を通して、子であることのしるしとしての従順[120]のうちに、イエスは御父に同意し、御父によって産み出されるに任せます。この従順は苦しみを通して深められ（ヘブ5・8）、死に至るまでの従順となります（フィリ2・8参照）。そして御父に自分を委ねた（ルカ23・46）イエスは、もはや御父によってしか生きないこと、存在しないことを受け入れます。そのとき御父は、彼に栄光を与えながら、「あなたは私の子、今日私はあなたを産んだ」（使13・33）と宣言します。死においてイエスは完全に御父のもとから出て、完全に産み出されます。

イエスは神のもとから出るだけでなく、**神へと向かう**存在です（ヨハ1・1、18）。イエスは生涯にわたって神から出て、神の方へと引き寄せられている、上昇する存在でした。特にルカは、すでに見たように、祈りの中で、またエルサレム——そこで彼は神のもとへと

118　ヨハ8・42、16・28

119　聖アウグスティヌス『ヨハネ福音書講解』一〇六講解七（CCL36,612s）「御父が御子に与えるすべてのものは、御子を産みながら与える。」

120　ヨハ5・19以下、7・16〜18、10・17、12・49、14・31

引き上げられることになる（ルカ９・51）――への長い旅の中で、神に向かって絶え間なく上昇するイエスを描いています。死においてイエスは「地上から上げられる」（ヨハ12・32）。地上から上げられると同時に天に上げられます。つまり、この世から父のもとへと移る（ヨハ13・１）。イエスは神へと向かう御子です。

イエスにおける死の偉大さとはそのようなもので、それは、永遠のみ言葉の神秘に満ちた神の死です。以後イエスはもはや死の神秘から出ることはありません。そこにおいてこそ彼は、神の子、主キリストなのです。さて御子は「見えない神の姿」（コロ１・15）です。死と栄光の過越によって、彼はこの世に神の姿を示しています。

御父と死

イエスは「アッバ！　父よ！」と言って神に呼び掛けます。神の終極的な啓示は、神が父である、本質的に父だということです。新約聖書が神という名を当てているのは、神学が三位の神の第一のペルソナと呼ぶお方です。「唯一の神、父である神がおられ、……唯一の主、イエス・キリストがおられる」（一コリ8・6）。ところで私たちはこの第一のペルソナの全神秘が、その父性の中に、無限の御子を無限に産むことの中にあるということを知っています。

神の全神秘はその父性の中にあるので、神がこの世でご自分の働きを示されるのは、御子との関係のうちにおいてだけです。なぜなら彼が神であるのは、この関係においてであるからです。それゆえ聖書は、すべては御子によって創造されたと言うことができます。[121] イエスにとって、神は天地の主である父、すなわち創造主です。「天地の主である父よ、あなたをほめたたえます」（マタ11・25）。またさらに、人間イエスと、すべての人は創造の初めから死すべきものと定められていますが、この死の謎は、神の父性の中に、究極的な

121　ヨハ1・3、一コリ8・6、コロ1・16、黙3・14

答えを見つけることができるのです。

父はその子が生きるために産みます。神が父として人を創造し、しかも死すべきものとして創造されたのであれば、その死はまことの死ではないと結論することができます。神は人が生きるようにと創造され、しかも死すべきものとして創造されたのは、死を通して彼らを命の充満へと導くためです。

来世の命を否定するサドカイ派の人々に対して、イエスは「神がモーセにどう言われたか、読んだことがないのか。『私はアブラハムの神、イサクの神、ヤコブの神である』とあるではないか。神は死んだ者の神ではなく、生きている者の神なのだ」（マコ12・26〜27）と反論されました。人を創造するにあたって、神は人と、父と子の関係に入ることを契約されました。死はこの約束を破棄するものではなく、封印するためのものです。この契約はキリストの死においてその完全な実現を見いだしました。すなわち「私たちの先祖にされた約束を神はことごとく実現された……神はイエスを復活させられた」（使13・32〜34）。

イエスは死すべき存在でした。すべての人間と同じように、彼の生は死のうちにその成就を見いださなければなりません。神の子である人間にとって、生の成就とは、神の子としての充満です。死に向かって行きながら、イエスは自分を産む父の方へと昇って行きました。「すべてが」、生も死も、「彼の復活のために働いていた。」[122]イエスは生まれるために死にます。「私は命を再び受けるために捨てる。……これは私が父から受けた命令である」（ヨハ10・17～18）。自分を産み出した御父から、イエスは神の子として死ぬこと、死ぬことによって完全な神の子として産み出されるという使命を受けたのです。

神は人類を、死において生まれるキリストの神秘のうちに創造されました。この神秘は、人類の起源にさかのぼり、それ以後、死に意味を与えるものとなります。聖イレネウスによれば、神のみ言葉は、「十字架の形で全被造物のうちに刻まれている……彼はご自分のところに、目に見える形でおいでになり、肉となり、木に架けられた。それは万物をご自

122　聖アウグスティヌス

分のもとに再統合するためであった。」[123]

聖書の人間は、人は死ぬことなしに神のみ顔を見ることはできない（出30・20）と考えていました。目を眩ませることなしに、太陽を凝視することができるでしょうか。しかし聖書の人間は、神は父であって、ご自分のみ顔を見せることによって、命を与えるお方であることも知っていました。それゆえに詩編作者は、「神よ、憐れみと祝福を私たちに、あなたの顔の光を私たちの上に照らしてください」（詩67・2）と嘆願します。けれどもやはり、死なないかぎり、だれも神を見ることはできないということは真実です。なぜなら人が地上的な狭小さの中にいるかぎり、神との間には何の釣り合いもないからです。神のもとにまで昇るためには、地上の命を捨てなければなりません。

以上の考察は、死の必要性についてまだ十分に言い尽くしていません。イエスにとって死は、御父との出会いのために必要な条件であるだけではありません。死は、出会いの場そのもの、相互の交わりの絆なのです。**なぜなら神のうちには、イエスの死に反映される一つの神秘があるからです**。「私を見る者は神を見る」という言葉は、地上ですでに真実でしたが、イエスが栄光を受けられた死において、完全に実証されます。キリスト者にとって十字架は、神は愛である（一ヨハ4・8）ことを学ぶ知識の木です。彼らは自分たちが刺し貫いた方（ヨハ19・37参照）、彼らを極みまで愛された（ヨハ13・1）方を見ることによって、神のみ顔を発見します。エフェソの信徒への手紙は、私たちのためにご自分の身を渡されたキリストに従うことによって、神に倣う者となるようにと勧めています（5・1以下）。なぜなら死において栄光化されたキリストは、神の像、この世において目に見える神の顔であるからです。

神はいわば永遠の屠りのうちに生きておられます。すべてまことの愛は、屠られるものです。愛が無限であるとき、屠りには限界がありません。御父は人間イエスのように死ぬことはできませんが、永遠の御子と死の神秘を分かち合います。神は本質的に父であり、

123　『異端反駁』第五巻13・3
M・J・ル・ギュイル『御父の神秘』（Paris,1973）p.78「十字架は、創造された世界の絶対的な中軸をなしている。」

その存在は父性の中にあり、永遠の御子を終わりなく産み出しておられます。同じように「在る方」は御子へ向かって出る方として、その存在は自分自身の外に出ることのうちにあります。**御父は御子に向かって、自分に死にながら生きておられる**ということができましょう。

一方、永遠の御子もまた居られたものであり、その神秘はイエスの死のうちに顕現します。イエスが、その死において、自分を産む御父によってだけ存在し、生きることを受け入れるように、み言葉も永遠に子であることにおいて存在し、生きることを受け入れます。御父の存在はその父性の中にあり、御子の存在は、自分に命を与える御父への同意の中にあります。どちらも自分を与えることであり、自己放棄における相互関係です。御父と御子は死の神秘を祝い、人間は神に似たものとなるために、この神秘を共に祝うように招かれています。

御父と御子が互いに自分を与え合う愛は、聖霊と呼ばれます。聖霊は、神の神秘の深みであって、同時に、神の神秘を解き明かすお方です。したがって、死の謎も聖霊のうちにその究極の答えを見いだすことができるのではないでしょうか。

聖霊と死

イエスの過越は聖霊に満ちています。イエスは「永遠の霊によって神に献げられ」（ヘブ9・14）ました。そして、御父は聖霊によってイエスを復活させます（ロマ8・14）。つまり、ご自分の力（二コリ13・4）である聖霊によって、ご自分の栄光（ロマ6・10）である聖霊によって復活させます。[124] こうして御父はイエスを、霊に反する（ガラ5・17）肉による命（ロマ8・3）から引き上げ、奴隷の身分から解放し（フィリ2・6）、永遠の産出の中にその全存在を捕らえます。「神はイエスを復活させた。……それは詩編の第二編に『あなたは私の子、私は今日あなたを産んだ』と書いてあるとおりです」（使13・33）。「聖なる霊によれば、神

124　神の力と栄光が聖霊と同一のものであることについては、『神の聖霊』を参照。

はイエスを死者の中からの復活によって力ある神の子と定められたのです」（ロマ１・４参照）。聖霊の働きのもとに、イエスはその原初の充満、すなわち聖霊の力に満ちている神の子としての充満に達します。「聖霊があなたに降り、いと高き方の力があなたを包む。**それゆえ**生まれる子は聖なる者、神の子と呼ばれる」[125]（ルカ１・35）。

聖霊において御子を産む神である御父の神秘は以上のように啓示されます。神はイエスを聖霊において復活させられるように、聖霊において御子を永遠の三位一体の神秘のうちに産みます。神はイエスを、聖霊にほかならない全能の愛のうちに産みます。聖霊は産む力であり、そこで御父がその愛から御子を産む（コロ１・13参照）胎なのです。したがって、父性としての神の屠りについて語ることができるとするなら、また、その屠りは聖霊のうちに成就すると言うべきではないでしょうか。

御父の霊は御子の霊でもあるのです（ガラ４・６）。聖霊は、御子を御父の方へ運ぶ（ヨハ13・１）全能の動力であり、御子は永遠の霊において神に捧げられます（ヘブ９・14）。聖霊は、心に注がれた神の愛（ロマ５・５）、まず初めにキリストの心に注がれた神の愛――神は彼に聖霊を限りなくお与えになった（ヨハ3・34）――であって、イエスの死を、これ以上に大きな愛はない（ヨハ15・13参照）ものとし、世にイエスが御父を愛しておられることを知らせる（ヨハ14・31参照）お方です。イエスは愛し、死に、この世から御父へと移りますが、聖霊はその愛、御父に向かう子の動力です。つまり**聖霊は、御父に向かう御子の死**なのです。命を与える霊（ロマ8・2）は、イエスにおいて、死の霊となる！　このようにイエスの死は子としての死です。イエスは聖霊において御父の子ですから。

聖霊とイエスの死との結びつきは、多くの仕方で啓示されています。聖ヨハネは、「イエスは息絶えた」と書かずに、「霊を渡した」（19・30）と書いています。ここでも他の個所[126]と同じく、福音記者は一つの言葉に二重の意味を持たせています。すなわちイエスは霊

125　このテキストの中にも、聖霊、聖霊である力、聖霊である神の栄光が現れている。聖霊である神の栄光は、聖書の中で、光り輝く雲の形で現れる。マリアはこの雲に包まれる。

126　ヨハ3・14、11・50～52、12・32以下。

（息）を返すという意味と、霊（神の息吹）を与えるという意味です。[127]それ以前には、「霊はまだ降っていなかった」[128]が、イエスの死によって、霊がこの世に注がれ、三位一体の中で働かれます。刺し貫かれたわき腹から流れ出た血と水は、それぞれ、屠りの血と、栄光の霊のシンボルです（ヨハ7・39）。血と水は一緒に流れ出ます。他のしるしは次のようなものです。洗礼によって人は聖霊の中に沈められます。「私たちは唯一の霊において洗礼を受けた」（一コリ12・13）。そして死の中に沈められます。「キリストの死において洗礼を受けた私たちは、彼と共に葬られた。」[129]聖霊のシンボルである洗礼の水[130]は、死のうちに沈ませる埋葬の水であり、またキリスト――聖霊において御父に向かって死に（ヘブ9・14）、復活させられた（ロマ8・11）キリスト――との交わりのうちに生まれさせる母胎の水です。さらにまた、死と聖霊との結びつきは、「力は弱さのうちに発揮される」（二コリ12・9）という事実によって実証されます。神の力である聖霊は、死という、人間の弱さの極みにおいてその真価を発揮します。

聖霊は無限の愛であるということが事実であるなら、聖霊と死のこの不思議な結びつき